愚者のエンドロール

米澤穂信

角川文庫　12557

目次

劇場 1階

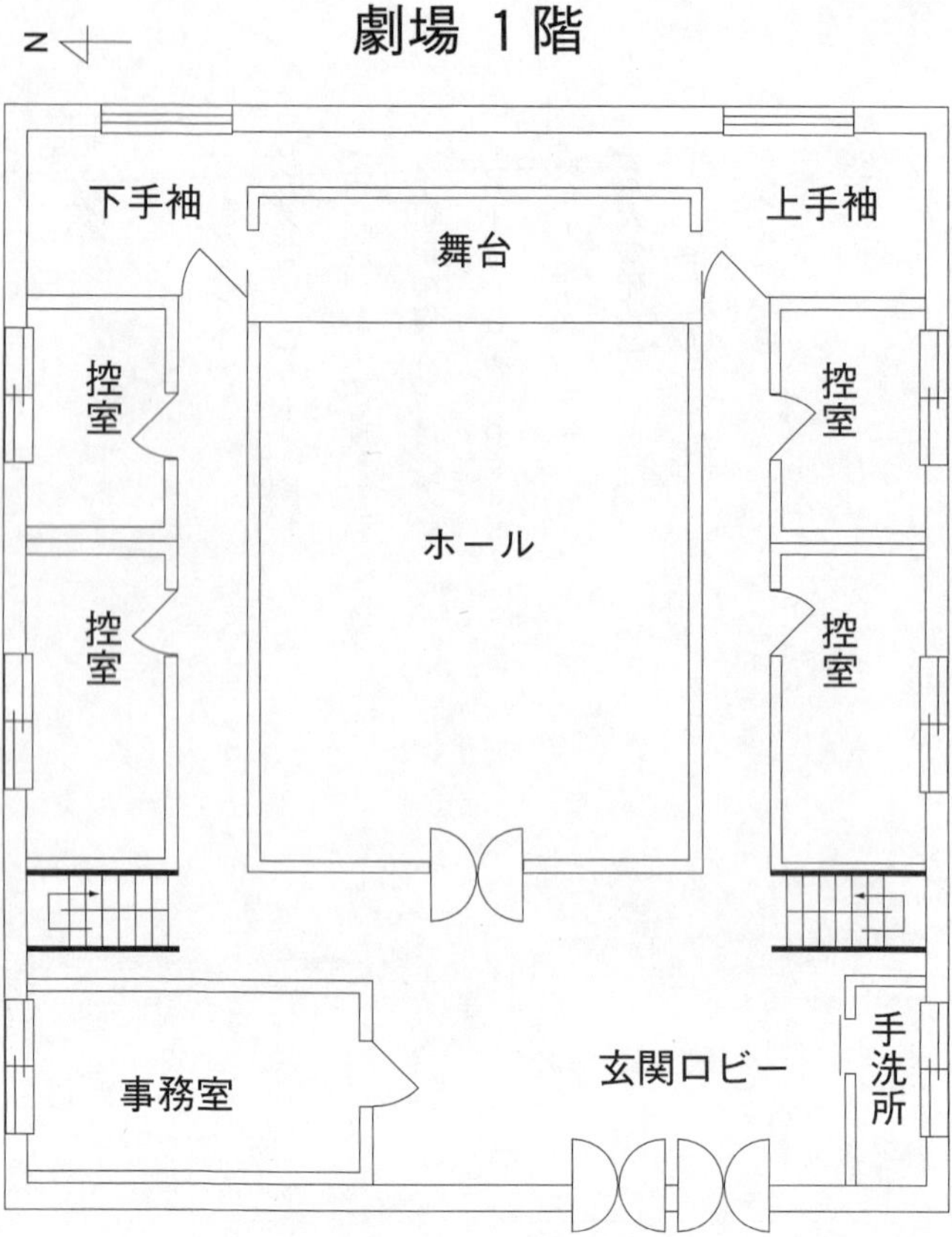
N
下手袖
舞台
上手袖
控室
控室
ホール
控室
控室
事務室
玄関ロビー
手洗所

劇場 2階

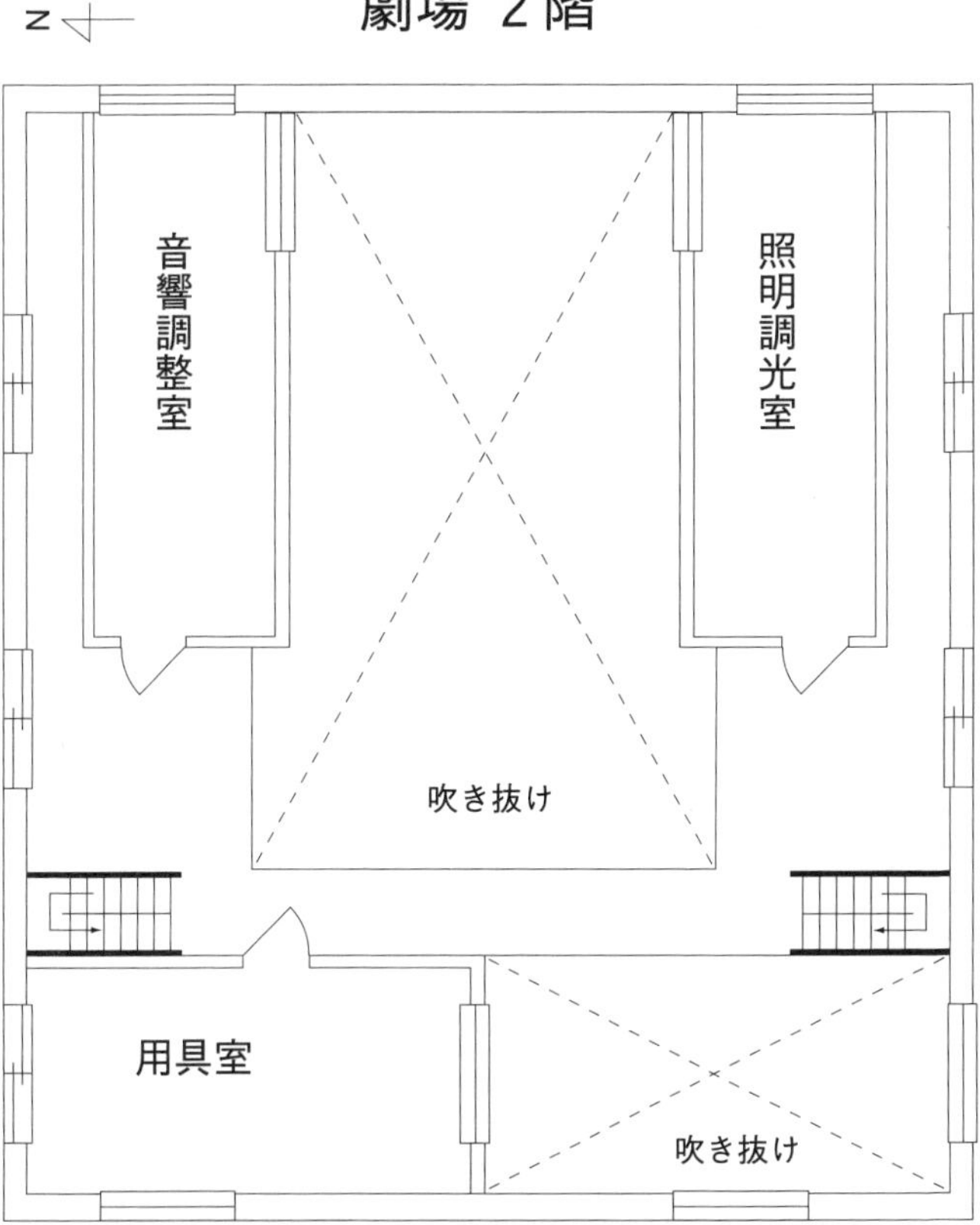
N
音響調整室
照明調光室
吹き抜け
用具室
吹き抜け

○　アバンタイトル

ログナンバー00205

名前を入れてください：本当に、どうしようもないのか？
まゆこ：ごめんなさい
名前を入れてください：このままだとお前は悪者だ。それでも？
まゆこ：みんなにあやまります
名前を入れてください：謝って済む問題じゃない
まゆこ：そうするしかないとおもう
名前を入れてください：責めてるんじゃない
名前を入れてください：解決しないといけないと言ってる
まゆこ：わかります
まゆこ：でももうどうしようもないです

まゆこ：わたしには
まゆこ：ごめんなさい
名前を入れてください：そうか。分かった
名前を入れてください：最初から適材適所でなかったのは確かだ
名前を入れてください：よくここまで頑張《がんば》ってくれた
まゆこ：ごめんなさい
名前を入れてください：もういい。謝らなくていい
名前を入れてください：後の処理は私にまかせろ
まゆこ：やってくれるんですか
名前を入れてください：出来るなら最初からやってる
名前を入れてください：私には出来ない。方法を探す
まゆこ：？
名前を入れてください：ただし、上手くいったとしてもお前の望む方向には
名前を入れてください：ならないだろう

ログナンバー1002009

あ・た・し♪：ごめんねー。
名前を入れてください：いいえ
名前を入れてください：そういう事情なら、仕方がないです
あ・た・し♪：かわいい後輩の頼みだもん、なんとかしたいけどね。
あ・た・し♪：こればかりはね……。
あ・た・し♪：距離《きょり》と時間は、さすがに動かせないもんねー。
名前を入れてください：あの
名前を入れてください：他に、心当たりはありませんか
名前を入れてください：そういうことが出来る人間に
あ・た・し♪：心当たり。
あ・た・し♪：うーん。
あ・た・し♪：……。
名前を入れてください：先輩？
あ・た・し♪：ＺＺＺ……
名前を入れてください：先輩
あ・た・し♪：冗談よ。

あ・た・し♪：頼りにはなんないけど、使い方によっちゃ
あ・た・し♪：踊《おど》ってくれるのがいるわ。

ログナンバー00214

名前を入れてください：どう？
L：是非《ぜひ》、生きます！
L：間違えました、行きます
名前を入れてください：そうしてくれると、こちらも嬉《うれ》しい
名前を入れてください：時間と場所は、追って伝える
L：取っ手も楽しみです
L：取っても、です
L：とっても
名前を入れてください：知っているかもしれないが
名前を入れてください：変換《へんかん》はしなくても構わない
名前を入れてください：そのまま Enter を押せば

L：層なんですか
L：そうなんですか
L：ああ、ほんとうですね
名前を入れてください：では、頼む
名前を入れてください：そうだ、どうせなら
L：はい
名前を入れてください：友達も誘って来ればいい。そう、三人ばかり
L：いいんですか
名前を入れてください：確か古典部員だったな？
名前を入れてください：部員を引き連れて来てくれれば、私も嬉しい

一　試写会に行こう！

天は人の上に人を造らず、人の下に人を造らずという。また、天は二物を与えず、とも。これらの警句が妥当《だとう》だとするなら、天の綱紀《こうき》は粛正《しゅくせい》されねばならないだろう。ひと一人の価値が地域によって異なる現状はどう言いつくろっても否定できないし、二物どころか片手に余るほどの才能を与えられた人間も間違いなくいる。俺たち普通人が天才の活躍を見て羨《うらや》んだり妬《ねた》んだりするのと同時に、俺にも実は何か才能がなどと思うのは日常の風景だが、全く虚《むな》しいことだな。

夏休みも終盤《しゅうばん》。学校への道すがら、旧友の福部《ふくべ》里志《さとし》にそんなことを話した。すると里志は、大きく頷《うなず》いて同意を示してみせた。

「全くだね。僕も福部里志を十五年やってきたけど、どうもこの体には天賦《てんぷ》の才はなさそうだ。大器晩成って言葉に望みをつなぐけど、これといって専門もないようじゃ、どうもその線も望み薄《うす》だねえ」

「ま、天才は天才で、普通人の生涯《しょうがい》は望んでも得られんことを思えば、そう羨ましいばかりでもないさ」

「普通人の生涯に魅力《みりょく》を感じるのかいホータロー。……ホータローなら、そうかもね」

そして里志は、何気ない風で付け加える。

「でも、果たしてホータローにそれが送れるかな？」

その言葉の意味はわからない。怪訝《けげん》な表情を浮かべた俺に、里志は意味ありげににやりとする。

「僕は福部里志に才能がないことを知ってる。でも、折木奉太郎《おれきほうたろう》までがそうなのかは、ちょっと保留したいところだよ」

「はあ？」

こいつの物言いは往々にしてジョークを含む。だから俺は、里志の言葉を額面通り受け取っていいものか少し考えた。二つほど物言いをつけたい。とりあえずは、一つ。

「俺に言わせれば、お前が自分を普通人だっていうのは自己分析《ぶんせき》が甘いってもんだ。お前ほど知識を手広く収集するやつも、そうはいないだろう」

里志は肩をすくめた。

「そりゃあ、ね。それはそれなりに、自負もある。だけどさ、そんなものを極《きわ》めたって、クイズ王にもなれやしない。手広いだけじゃものにはならないよ」

そうか？

ともあれ、もう一つ。

「俺が普通人じゃないってのは、人間観察がなってない」

「じゃないなんて言ってない。評価を保留したいって言ってるのさ」

「そんな必要がどこにある」

「どこと言われれば」

少し考える素振《そぶ》りをしてから、里志は見え始めた神山《かみやま》高校を指差す。

「あそこに」

「校舎?」

「校舎じゃない、地学講義室。僕ら古典部の部室だよ。……この前の『氷菓《ひょうか》』事件は、なかなか見事だった。正直に言って、ホータローにあんなことができるとは思わなかったな。あの方面でホータローがどこまで行けるのか見届けない限りは、評価は保留するしかないよ」

そう笑う。対照的に俺の表情は苦くなる。

『氷菓』事件。事件といっても刑事《けいじ》じゃない。多分民事《みんじ》でもない。『氷菓』とは俺や里志が所属する活動目的不明の団体「古典部」の文集の名前だ。なぜ、文集にそんな奇妙《きみょう》な名がつけられたのか。そこには、短く言うことのできない理由がある。その理由にまつわってこの数ヶ月いくつかの厄介《やっかい》事が持ち上がり、俺はその中である程度役割を果たした。里志が言っているのはその「役割」のことだ。

　里志は述懐《じゆつかい》する。

「あの事件を解決したのは、ホータローだった」

「解決っていうほど大したことはしていない。第一あれは、運だ」

「運、ね。自己評価なんて聞いてないよ。僕がホータローをどう見るかの問題だ」

　取り方によってはひどく尊大なことを平気で言ってのける。その口振りには慣れているから、俺は腹も立てない。

　福部里志。旧友にして好敵手。男にしては背が低く、容姿は遠目に見れば女と見間違うような青瓢箪《あおびようたん》だ。しかし実際は実に肝《きも》の座った男で、自分が興味を持ったことだけを追求し「必要なこと」を二の次にまわして平然としていることができる。目と口元にいつも笑みを含んでいて、何が入っているのかいつも巾着袋《きんちやくぶくろ》を持ち歩いている。その巾着袋をぐるりと振りまわし、里志は言った。

「それはそうと、いま何時かわかるかい」

「自分の時計を見ろよ」

「この中なんだ。出すのが面倒」

　巾着袋を叩いてみせる。里志は滅多《めつた》に腕時計を持ち歩かない。携帯《けいたい》電話の時刻表示で事を済ませる。

「面倒とは、俺のお株《かぶ》を奪《うば》ったな」

「『やらなくてもいいことなら、やらない。やらなければいけないことなら手っ取り早く』かい」

俺自身の生活信条を揶揄《やゆ》するようにそう言って、里志は笑う。俺は自分の腕時計を見ながら訂正《ていせい》する。

「『やらなければいけないことなら手短に』って言ってる。……十時を少しまわったな」

「一言一句を憶《おぼ》えているなんて、そんな大層なモットーでもないだろうに。って、十時か。ちょっと急いだほうがいいな。遅刻は千反田《ちたんだ》さんは許してくれても、摩耶花《まやか》が怖い」

それにはほぼ同意だ。伊原《いばら》摩耶花は怒らせると怖い。もっとも里志が知っているかどうかはわからないが、それは千反田えるも同じなのだ。里志が早足になるのにあわせ、俺も歩調を速めた。

信号を待って交差点を渡ると、校門が見えてきた。夏休みのくせに生徒を満載《まんさい》の、いつもの神山高校だ。

校庭に校舎に、私服や制服の生徒の姿。響きあう音楽系部活の音出し。校庭の隅ではなにやら巨大なモニュメントが組み上げられているし、どこの部活だろうか殺陣《たて》をやっている連中もいる。神山高校は、夏休み中にもかかわらず、生徒の活気に満ちている。全ては、神山高校文化祭に向けての準備だ。

神山高校は、生徒数が約一千。進学校の傾向があるのと、文化系部活がやや活発なこと、そして文化祭が実に盛大なことを除けば、普通の高校だ。敷地《しきち》内に大きな建物は三棟《むね》。一般《いっぱん》教室が並ぶ一般棟《とう》、特別教室が並ぶ特別棟、そして体育館。俺たち古典部は特別棟四階の地学講義室を部室に使っている。

合唱部とアカペラ部が歌合戦よろしく声を張り上げている中庭を、足早に進む。俺の生活信条は里志の言った通り「やらなくてもいいことなら、やらない。やらなければいけないことなら手短に」で、それをより端的《たんてき》に表せば「省エネルギー」となる。そのスタイルは、文化祭やその他学生生活の諸局面に総力を挙げる「彼ら」のやり方とは大きく異なる。が、その違いを俺はいまやどうとも思わない。

昇降口《しょうこう》から渡り廊下を通って特別棟へ。どこかの部活が長尺《ちょうじゃく》の絵を廊下で乾かしているのを横目に階段へ。四階分を一気に上れば、多少は息も乱れる。まして季節は晩夏、滲《にじ》んだ汗をハンカチで拭《ぬぐ》って地学講義室に入る。

早速、叱声《しっせい》が飛んできた。

「遅いっ！」

教室の、ご丁寧《ていねい》に中央に仁王《におう》立ちしているのは、古典部部員にして古典部文集『氷菓』制作の実質責任者、そして俺とは腐《くさ》れ縁《えん》の伊原だ。

伊原摩耶花。親しいわけでもないのに、なぜかこいつとは縁が切れない。小学生の頃はおとなびた顔つきだったが、そのまま高校生になってしまったのでいまでは単なる童顔だ。見た目はそんなだが、こいつは過《あやま》ちに対して実に手厳しい。他人が犯したミスにも容赦《ようしゃ》はしないが、自分のそれに関してはもっと苛烈《かれつ》だ。いまこいつが怒っている理由は簡単。今日、古典部は午前十時に部室に集まることになっていたからだ。

仁王立ちのまま、伊原は言う。

「ふくちゃん、何か言い訳は？」

里志は微笑《びしょう》を引きつらせ、答えた。

「自転車が使えなくて……」

「そんなのは前からわかってたでしょっ」

ちなみに神山高校では夏休み中に自転車で登校するのは自由だ。が、駐輪場《ちゆうりん》が整備中のこと何日かだけは禁止措置《そち》が取られている。

「しっかりしてよね、ふくちゃん。原稿《げんこう》も全然出来てないし」

両手を広げて、里志は苦しい抗弁《こうべん》を試みる。

「ちょ、ちょっと待ってよ摩耶花。遅刻はホータローも同じだろう？」

俺に振るか、それを。が、伊原は俺にはちらりと視線を向けただけで、すぐ里志に向き直る。

「折木は、どっちかっていうとどうでもいいし」

……さいですか。

伊原に関してもう一つ付け加えるなら、こいつは里志に気がある。本人もそのことを隠していない。が、当の里志は伊原をずっとはぐらかし続けている。いつの頃からそうなのかは、俺は知らない。その理由も。

ところで。古典部は一年生ばかり四人で構成されている。俺、里志、伊原、そして部長の千反田える。千反田の姿がないじゃないか。

「ひどい、ダブルスタンダードだ」

「なに言ってるの、そんなことないってば」

無意味なやり取りが続いている中に言葉を挟《はさ》む。

「おい伊原、千反田も来てないぞ」

「ダブルスタンダードなんてそんな……。え、ちーちゃん？　そうなの、まだ来てないのよ。心配ね」

なるほどダブルではない。里志が唸《うな》る。

「そうか、トリプルなんだ」

珍しく伊原は笑った。

そのすぐ後。噂《うわさ》をすれば影《かげ》、静かにドアを開いて、千反田が入ってきた。

千反田える。黒く長い髪、頼りない線の細い体つきが深窓のお嬢様《じょうさま》を思わせる。そして事実、神山市の一角に広大な田園を有する「豪農《ごうのう》千反田家」のお嬢様だ。ただ、全体に漂《ただよ》う品の良さに反して目が大きい。俺に言わせれば千反田を象徴《しょうちょう》するのはその目だ。伊原は外見が子どもだが、千反田は森羅万象《しんらばんしょう》に示す好奇心の旺盛《おうせい》さが子どもを思わせる。その上、子どものようというには知性が系統立っているのが始末に負えない。

時計は既に十時半を示している。千反田は深々と頭を下げた。

「遅れまして、すみません」

千反田はずぼらとは程遠《ほどとお》い。几帳面《きちょうめん》というのでもないが、遅刻とは珍しい。伊原もそう思ったのだろう、咎《とが》めもせずに訊《き》いた。

「どうかしたの、なにかあったの」

「ええ。少し、話し合いが長くなりまして」

何の話し合いだ。それを言わなきゃ説明にならないだろうに。が、それを俺が口に出す前に千反田は続けた。

「何の話し合いかは、また後でお話しします」

どうも何か企《たくら》んでいるな。よからぬ気配だ。

「ふうん……。ま、いいか。じゃあ、始めるね」

今日古典部が集まったのは、古典部の文集『氷菓』を文化祭に出品するに当たって、全体のデザイン、つまりフォントの選択やカットの挿入《そうにゅう》部、紙の質などについて相談するためだ。俺自身はそういうことに口を出す気はないので「伊原におまかせ」でもよかったのだが、当の伊原がそれを許さなかった。お金も原稿も出したんだから、文集作りの全局面に関わる権利と義務が俺にはある、のだそうだ。両方ともいらないが、まあ、どうせ夏休みといっても特にしたいことがあるわけでもなし。

伊原が自分のバッグから紙の見本をいくつか取り出す。

「こっちが予算の範囲《はんい》内で最高の紙。こっちが一番安いの。かなり違うでしょ。見た目以外にも、インクの乗りがね……」

早速始まった説明に、里志と千反田は熱心に聞き入る。俺は山の賑《にぎ》やかしの枯れ木だが、一応聞く姿勢はみせる。でないと伊原が怒るのだ。

編集会議は意外と早く済み、一時間と少しで終わった。決定事項を伊原がメモし、今日のうちにも印刷所に伝えるという。実務をそつなくこなすのは大変なことだ。伊原に感謝の合掌《がっしょう》を。

時刻は昼時。このまま帰ってもいいのだが、折角用意のコンビニ弁当を食べていくことにする。ショルダーバッグから四百円足らずの昼飯を出すと、他の三人もそれぞれ食料を取り出した。

お握《にぎ》りの外装フィルムを剝《は》がしながら、里志が誰にともなく言った。

「それで、文集は結局いつ頃出来上がるんだっけ」

それを一番よく把握《はあく》しているのは無論伊原だ。伊原は、そのくらい憶えておいてよ、などと愚痴《ぐち》ってから答える。

「十月の頭には見本を出したいかな。実際に刷り上がってくるのは、本当に文化祭直前になるわね」

いまは八月の下旬《げじゅん》、夏休みは残り一週間。九月になって授業が始まってしまえば、原稿《げんこう》を書くのも億劫《おっくう》になるだろう。俺の主義である省エネルギーは、仕事を後まわしにして作業効率が悪くなるのを好まない。ここは早めに取りかかりたいところだ。とはいえ、まあ、時間的には余裕があるといえる。

ぱこん、と気の抜けた音を立てて、千反田が弁当箱の蓋《ふた》を開ける。同窓の女子の中にはおやつにもならないような小さな弁当箱を使う者が結構いるが、千反田の弁当箱は小ぶりではあってもまあまあ食事というに足る量があった。蕗《ふき》の煮物《にもの》に、厚焼き玉子、そぼろ。箸《はし》を取る前に、さりげなく千反田が訊いてきた。

「ところでみなさん、これから予定はありますか」

俺は元々やりたいことなんかない人間だ。当然、時間は持て余すほどにある。無言で首を横に振る。伊原も俺と同じ仕草をした。

「これ、印刷屋さんに持っていかなきゃいけないけど、夕方でもいいし」

里志は少し考え込む。

「僕は手芸部のほうを手伝いに行こうと思ってたんだけど。ここしばらく針を持ってないしね。

総務委員会にも顔を出したい。でも、どうしてもじゃない」

三人の返事が出揃《でそろ》うと、千反田が世にも嬉《うれ》しそうな表情になった。その笑顔に、俺はなんとなく嫌な予感を感じる。経験則的なもので上手くはいえないが、厄介事《やっかいごと》が迫《せま》っているような。

手に持った箸を置き、勢い込んで千反田が言った。

「それなら、試写会に行きましょう！」

試写会？

ここで出てくるにしては心当たりのない単語だ。それとも水面下で進んだ事情を俺が知らないだけか。思わず里志と顔を見合わせる。里志は首を傾けて、自分も知らないことを示した。伊原も、怪訝《けげん》そうな顔つきだ。

「ちーちゃん、試写会って？　なにか、映画の」

「ええ。……えぇと、違います、映画じゃなくって、ビデオ映画です」

ビデオ映画、となれば間違いなく、自主制作だろう。

「映画研究会か何かか」

千反田は首を横に振る。

「いいえ」

「じゃあ、ビデオ映画研究会だ」

馬鹿なことを言ったのは里志だ。俺と伊原の冷ややかな視線が、その笑顔に突き刺さる。が、里志はいつも通りの平然さ。

「あるんだよ、そういうのも。古典部があるんだ、ビデオ映画研究会だってあるさ」

里志は頻繁《ひんぱん》にくだらないジョークを飛ばすがそれは、本人いわく「ジョークは即興《そっきょう》に限る、禍根《かこん》を残せば嘘《うそ》になる」という規範《きはん》に基《もと》づいてのことだ。こいつがあると言うのなら、あるのだろう。それほど不思議でもない、神山高校の文化系部活の多彩《たさい》さはちょっとしたものだ。

しかし千反田は首を横に振って、それも否定した。

「それでもありません。クラス展示、二年F組が制作したものです」

「ふうん、クラス展示なの」

感心したように伊原が頷《うなず》く。

「うちの文化祭はクラス展示はあんまり出ないと思ってたけど。部活の勢いがいいから」

言われてみれば、確かにそうだ。俺の学級、一年B組だが、そこでは文化祭で何かをやってみようなどという話題は出もしなかった。部活動に活力を費《つい》やして、なおもクラス展示というのは大変なのだろう。そこを考えれば、古典部と手芸部、総務委員会を掛《か》け持ちしている里志は無意味に大したものなのだ。

「二年F組の体育会系の方たちが、自分たちも文化祭に参加したいと主張して始まった企画だそうです。わたしの知人が二年F組にいまして、誘ってくれたんです、試写会をするから、感想を聞かせてほしいって。どうです、行きませんか？」

「いいね、行くよ！」

一も二もなく里志は快諾《かいだく》する。まあ、こいつの趣味に照らせばそうだろう。

伊原は少し眉を寄せて、訊《き》いた。

「どんな映画か、聞いてる？」

「ええと、ミステリー映画だそうです」

その答えに伊原は満足したようだ。

「エンタテインメントね。それなら、わたしも行きたいな」

「なんだい、摩耶花はアート系は嫌いかい？」

「嫌いじゃないわよ。……ちゃんと映画が好きな人が撮《と》ったものならね」

確かに「自分たちも文化祭に参加してみたい」という動機で撮られたアート系映画を見たいとは、誰も思わないだろうな。

で、俺はというと。

実は俺は映画は苦手なのだ。正直なところ、アートだろうがエンタテインメントだろうが、特に見たいとは思わない。なぜ映画が苦手になってしまったのかは、自分でもよくわからない。多分、作品を消化するまでの時間がきっちりと決まっているのが好かないんじゃないかとは思う。映画好きの友人の前でこの通りのことを言ったら、「お前は人生の半分を損している」と言われたことがある。嫌いで仕方ないというほどじゃないし、好きな作品もいくつかはあるのだが……

ま、帰って休むか。

そう口を開きかけたところに、千反田の喜びの声が重なった。

「よかった！　みんなで行けますね」

「いや俺は」

「実はですね、誘ってくれた方に、三人ぐらい連れてきてほしいと言われていたんです。古典部の部員なら、ちょうどいいと」

聞いてくれよ。

意地の悪い笑みを浮かべて、里志が俺を親指で指差した。

「千反田さん、ホータローが何か言いたそうだよ」

「折木さんも行きますよね」

む。

「……行かないんですか？」

あー。

毎度のことだが、どうも千反田相手だと具合がよくない。返事をする前から予想がつく、どう答えても、結局俺も行くことになるのだろう。もちろん断固断れば無理にとは言ってこないだろうが、断固断りたいわけでもないのが問題だ。

俺は肩をすくめる。まあいいさ、帰っても何が待ってるわけでもなし。

視聴覚《しちょうかく》教室には、既に暗幕が下りていた。晩夏の陽射《ひざ》しを効率的に遮《さえぎ》って、室内は暗い。その暗がりの奥から、突然染み出るように女子生徒が現れた。どうしてそんな錯覚《さっかく》をしたかといえば、その女子生徒が深い紺色《こんいろ》の私服を着ていたからだろう。その輪郭《りんかく》はまだはっきりしない。

千反田がその誰かに呼びかけた。

「お言葉に甘えて来ちゃいました」

彼女は俺たちのほうへ歩み寄ってくる。それでようやく、俺はその姿をはっきり見ることができた。

背は千反田とほぼ同じか、それよりもう少し高いぐらい。体型はすらりと細い。目もやや吊り上がって細く、顔の輪郭《りんかく》は顎《あご》に向かってすっきりとしている。まあ、美貌《びぼう》といっていいと思うが、俺がその誰かに感じた印象は何よりもまず冷厳《れいげん》さだった。一学年違うだけの高校生とは思えない、威厳《いげん》とでもいえるような雰囲気《ふんいき》を彼女は纏《まと》っている。高校生でなければ何かといえば、そう、ステレオタイプの警官か教師……、いやいっそ、自衛官が似合うとまでいえるかもしれない。しかも尉官《いかん》以上の。笑顔をみせるわけではない。といって、無愛想というのでもない。彼女の態度は無感情に近かった。そのスタイルによく似合う、低く落ち着いた声で、彼女は言った。

「ああ、よく来た」

俺たち一人一人に視線を走らせる。

「ようこそ。今日は招きに応じてくれて、ありがとう」

千反田が手で俺たちを一人ずつ指し示しながら紹介する。

「こちらが伊原摩耶花さん。こちらが福部里志さん。こちらが折木奉太郎さん。わたしが入っている古典部の方たちです」

その紹介の途中、彼女は微妙《びみょう》に表情を動かしたように見えた。笑った、のだろうか、暗がりでよくわからない。いずれにしてもすぐに元に戻ってしまった。俺たちに頭を下げてくる。

「今日はよろしく。……私は、入須《いりす》冬実《ふゆみ》」

彼女がそう名乗ると、里志が大きく反応した。快哉《かいさい》のような声を上げる。

「ああ、やっぱり、入須先輩でしたか！　見たことがあると思ったんです」

入須と名乗った女子生徒は、里志を一瞥《いちべつ》した。

「君は、福部里志君といったか。悪いけど、見覚えがない」

「そうですか、六月最後の文化祭実行委員会の末席にいたんですが」

「さあ、何かあったかな」

本当に忘れているのかとぼけているのか、入須はそう受け答える。対して里志は、とても楽しそうに続けた。

「音楽系部活と演劇系部活の争いの調停、見てました。あれは本当に見事でした。一度お話ししたいと思っていたんですが、こんな形で！」

「ああ、思い出した」

素気《そつけ》ない。

「私は何もしていない」

「そう、そこが凄《すご》い。憶えていますよ、先輩は『議長、彼の意見を聞くべきです』を三回言っただけ。それであの紛糾《ふんきゆう》が五分で片付くなんて、心の中でスタンディングオベーションでしたよ。議長が礼を言うべきは入須先輩だったと思います」

人を誉《ほ》めないといえば伊原だが、実は里志も冗談以外では手放しの賞賛というやつは滅多《めつた》にやらない。ところがこれだ、事の次第《しだい》はよくわからないがこの入須冬実という人間、何かやったのだろう。俺はぼんやりとそう思ってやり取りを聞いていた。

里志の尊敬の眼差《まなざ》しを受け、しかし入須はこれといった反応を示さない。

「そうだったかな」

「入須さん、あんまり学校行事には興味がないって言ってましたもんね」

と千反田が言う。入須は頷《うなず》いた。

「福部君の言う委員会には、私は代理で出ていた。そんなこともあったかもしれないけど、憶えていないわ。気を悪くしないでほしい」

「そうですか。気なんか、悪くしませんけどね」

そうは言いながらも里志は、どこか落胆《らくたん》したようだ。その脇で、伊原が千反田に訊《き》いている。

「ちーちゃん、どういう関係なの」

「わたしと、入須さんですか。……わたしの家と入須さんの家でお付き合いがあるんです。子供の頃から入須さんにはいろいろお世話になっています」

千反田家ともなると、家ぐるみのお付き合いもあるってことか。少なくとも折木家にはそんな相手はいない。旧家名家もなかなか大変なことだ。と、しかしそうなると入須の家にもそれなりの家格があるってことなのか？　そうかもしれない。そうでないかもしれない。まあ、どちらにしてもそれは入須冬実自身に関係はあるまい。

「それはともかく」

と入須が話を本筋に戻す。手に持っていたものを掲《かか》げてみせる。長方形のそれは、どうやらビデオテープだ。

「今日、君らに時間を割《さ》いてもらったのは、このビデオテープを見てもらうため。これは、千反田から聞いて知っているかもしれないけれど、私のクラスで撮影《さつえい》したものよ。これを見て、是非《ぜひ》とも率直《そっちょく》な意見を聞かせてほしい」

「楽しみです」

とは千反田。

試写会とは、どうやら本当に試写会らしい。しかしなぜ。疑問を覚えたので、俺は訊いた。

「それだけでいいんですか」

入須はまっすぐに俺の目を見てくる。暗がりからの視線は射すくめるようだ。なんとなく圧《あっ》迫《ぱく》感を感じながら、続ける。

「見て、感想を言うだけで？」

「それではおかしいかな」

「もし俺たちがそのテープを見て批判したとしても、撮《と》り直しが利《き》くわけじゃないでしょう。本当の試写会のように、宣伝のためでもない。見せてくれる意味がわからないんですが」

するとなぜか、入須は満足したように大きく頷いた。

「もっともな疑問ね。確かに、ただ見てもらうだけでは意味がない。答えてもいいけど、まず見てもらったほうが効率的だと思う。どう？」

ふうむ。どうも気に入らない。が、効率的という台詞《せりふ》が俺の好みにあったので、俺はそれ以上は訊かないことにした。

俺が承諾《しょうだく》の意を示したので、入須は続けた。

「このビデオ映画にはまだタイトルがついていない。仮称《かしょう》は単に『ミステリー』。ビデオが終わったら、一つ聞かせてもらいたいことがあるから、そのつもりでしっかり見てくれるとありがたい」

今度は伊原が尋《たず》ねる。

「ミステリー映画って、やっぱり推理的な映画なんですか」

「そう思ってくれて、差し支《つか》えない」

「じゃあメモぐらいとったほうがいいですよね」

「そう、そのぐらい詳細《しょうさい》に見てくれるといいわね」

が、荷物は全員、あいにく地学講義室に置いてきた。鞄《かばん》を取ってきていいですか、という伊原が言うのには、里志が応じる。

「メモなら僕が取るよ」

いつも手放さない巾着袋《きんちゃくぶくろ》から手帳とペンを取り出してみせる。……そんなものも入っていたのか。

入須はちらりと腕時計を見た。シンプルな銀色の腕時計だった。

「では、そろそろ始めるわ。席は適当に着いて」

言葉に従って、めいめい手近な席に座る。里志は手帳を広げる。それを見届けると、入須は操作室の方に向かった。鉄扉《てっぴ》の前で俺たちを振り返り、一言残す。

「それでは、健闘《けんとう》を」

がちりと扉が閉まると、ほどなくウインチの動く音がして、前方にホワイトスクリーンが下りてきた。俺は楽な姿勢を取ろうと、椅子の背もたれに深くもたれかかる。

それにしても入須も準備の悪い。映画を流すのにポップコーンがないなんて。


タイトルの決まっていない映画にタイトル画面がある道理はない。映像は突然現れた。場所は一見してわかるおなじみの神山高校、机と椅子が整然と並ぶ一般教室だ。窓が映っているがその外を見れば時刻が夕方近いことがわかる。放課後だ。

ナレーションが入った。ややハスキー気味の、男の声だ。

『あの事件のことを語るには、やっぱりここから始めたほうがいいだろう。二年F組の有志は、高校生活の思い出として、カンヤ祭への参加を決めた。しかし何をするのか？　ある放課後、彼らは会議を開いた』

ちなみにカンヤ祭とは、神山高校文化祭の俗称《ぞくしょう》だ。しかし、古典部員はその俗称を使わない。その理由は、短く言うことはできない。

映像に、生徒の姿が現れる。六人だ。椅子を円陣《えんじん》の形に組んで、向かい合っている。これが、文化祭での出し物について話し合う「会議」の場面なのだろう。カメラは彼らを一人一人ゆっくりと映していく。ナレーションが名前を教えてくれた。

武道系の部活が似合うがっちりとした体つきの男。髪は短く刈《か》り込み、六人の中で最も長身だ。『海藤武雄《かいとうたけお》』だそうだ。

ひょろりと細長い外形の、唯一眼鏡《ゆいいつめがね》をかけた男。撮られているのに、そわそわと落ち着きがない。『杉村二郎《すぎむらじろう》』。

よく日に焼けた肌で、肩までの髪を栗色《くりいろ》に染めた女。映されている何秒かの間に、二度髪を構った。『山西《やまにし》みどり』。

背が低くやや太めの女。太っているというより、顔が丸いのでそう見えるだけなのかもしれない。『瀬之上真美子《せのうえまみこ》』。

顔立ちがどうも人がよさそうな印象を与える男。髪を赤っぽく染めているが、正直な印象として似合っていない。『勝田竹男《かったたけお》』。

伏目《ふしめ》がちで、カメラを向けられるとさりげなく顔をそむけた女。地味な装《よそお》いで、一番背が低いのが彼女だ。『鴻巣友里《こうのすゆり》』。

名前が読み上げられる度に、里志がペンを走らす音が聞こえてきた。この場ではまだ彼らの名前の漢字表記まではわからないので、片仮名《かたかな》書きだ。

紹介が終わり、一拍《いっぱく》置いて、何か合図でもあったようにひょろり眼鏡の杉村が口を開く。

『僕は、楢窪《ならくぼ》地区の展示をやったらどうかなと思う』

う、と伊原が声を詰《つ》まらせた。気持ちはわかる、あまりに棒読みだ。

『楢窪地区って？』

よく髪を構う山西が訊《き》いて、赤い頭の勝田が答えた。

『聞いたことがあるな。確か古丘《ふるおか》町の』

『そう、廃村《はいそん》だ。鉱脈の発見とともに生まれて、それが枯渇《こかつ》すると消えた』

連続で棒読み。しかしそれは無理もないだろう。千反田いわく「二年F組の体育会系の方たちが、自分たちも文化祭に参加したいと主張して始まった企画」なら、彼らは演劇部員というわけではないのだ。

いい体をした海藤がごつい腕を組む。

『ふん、廃村の取材か。面白そうじゃないか』

『一度だけ行ったことがあるけど、あれはなかなか迫力《はくりょく》があるよ。見る価値がある。一個の村の一生を歴史的に追うのも面白い』

『そんなの、全然面白そうじゃないけど』

この山西の台詞《せりふ》は投げやりな感じがよく出ていて上手かった。ひょっとしたら彼女の自然な感想なのかもしれない。一方、顔の丸い瀬之上はいかにも演技っぽく身を乗り出す。

『でも取材は面白そう。廃墟《はいきょ》に行くんでしょう。あたし、廃墟って見たことないの』

そこにずっと伏目の鴻巣が口を挟《はさ》む。

『楢窪ならわたしも知っているけど……。結構山の奥よ。一番近いバス停から、一時間は歩かないと』

『えーっ』

不満そうな声は山西。そういう役どころなのか。一方海藤は余裕の表情をみせる。

『一時間ぐらい、どうってことないさ。ハイキングにもならない。せいぜいピクニックだ』

『じゃあ、決まりでいいかな。文化祭の展示は、楢窪地区のことを調べるってことで』

その杉村の言葉に勝田が異論を唱えた。ただ廃村のことを調べて展示するだけでは面白味に欠けるというのだ。それに山西が賛成し、だから別のことをやろうと言い、瀬之上はなら展示の方法を工夫《くふう》すればいいと主張し、じゃあどうするのかといわれて言葉に詰まり、杉村が探検記風にしたらどうかと提案して古いと却下《きやっか》され、鴻巣がオカルト風にしたらどうかと言い、それはなかなか面白いと好評で、でも元ネタがないと締《し》まらないと言われその辺は調べるよと杉村が安請合《やすうけあ》いし、その間にあの子があの子にホの字であの子とあの子はライバルで、などと人間模様が不器用に描《えが》かれたりもしたがその辺はすっぱりと割愛《かつあい》しよう。最初のシーンで大事なことは多分これだけだ。シーンがブラックアウトしてからナレーションが言った言葉、即《すなわ》ち。

『一週間後、彼らは古丘町楢窪地区に向かった』

黒い画面のまま少し間があって、映像が再開された時、映し出される場所は学校ではなくなっていた。盛夏《せいか》独特の濃さを持った緑色に包まれた、そこは山中の風景だった。ここが、楢窪地区だろう。

古丘町なら知っている。ここ神山市から北に二十キロほど行った先にある町だ。鉛《なまり》だったか何だったか金属の採れる鉱山があって一時は随分《ずいぶん》と栄えたが、その後はお定まりの零落《れいらく》、鉱山が閉山してしまったいまとなってはこれといった主要産業のない町になっている。しかし楢窪地区とは？

それを伊原が里志に尋《たず》ねた。

「ふくちゃん、楢窪地区って知ってる？」

別に驚くべきことでもないが、里志は知っていた。

「ああ、古丘鉱山が現役《げんえき》だった頃に採掘坑《さいくつこう》があった地域だよ。交通は不便だけど、鉱山の全盛期には隆盛《りゅうせい》を極めたってね」

里志はそこで大物演歌歌手の名前を二、三挙げた。

「――なんかも来たっていうよ」

伊原は少なからず驚いたようだった。俺もどちらかというと驚いた。里志の挙げた名前は、掛《か》け値なしに大物だったからだ。

「だけどね」

続けようとした里志を、しかし千反田が短く制する。

「始まったようです」

映像は夏の雑木林をぐるりと巡《めぐ》って、百八十度回転したかと思うと、そこには生徒の一団がいた。さっきとは違い、全員が私服だ。暑さに応じた軽装になっている。それぞれ小ぶりのリュックを背負っている。中身はわからない。

山西が棒立ちのまま言う。

『暑いわね。随分来たけど、まだなの？』

杉村が山西に応じる。

『もうすぐだよ。あと、五分もかからない』

『さっきもそう言っていたじゃない。こんなに暑いのに、もう、疲れたわよ』

『暑いのはおまえだけじゃない。さあ、そろそろ行くぞ』

海藤が言うと、それを合図に一団は歩き出した。その後をカメラが追う。

檜窪地区は、なるほど山奥であるらしい。道の左右にはかつて人の手が入ったことがあるのか疑わしい雑木林が続き、木々の間から時折垣間《かいま》見える古丘町らしき街並みは遥《はる》か下方だ。道路は一応舗装《ほそう》されているが、あちこちに傷《いた》みが見える。路肩《ろかた》のアスファルトは一見して剝《は》がれているし、こぶし大ぐらいの石くれはあちこちに転がっている。その道路状況の悪さのせいでもなかろうが、映像は手ブレがひどかった。役者が本職でないなら、カメラマンもそうだろう。俺のような映画に疎《うと》い人間にもこのカメラマンが撮影《さつえい》に不慣れなことはよくわかる。それにしたって見にくい画面だ。

いったん映像はぷつりと切れ、再び道を行く一団を後方から写すアングルで再開される。ほどなく、先頭の杉村が眼鏡を直し、前方を指差して言った。

『見えてきたよ、あそこが椿窪だ！』

全員が杉村に並ぶ。カメラが追いついて杉村の指差す先、山中に開けた窪地《くぼち》を写すと、そこにあったのは、廃墟だった。

廃墟。地方都市とはいえ現代日本に住む俺にとって、たった二十キロ程度しか離れていない場所をそう表現するのは、ひどく現実感のないことだ。まばらに立つ一軒家《いっけんや》は薄汚《うすよご》れ、窓破れ屋根崩《くず》れ、ゆっくりとした崩壊《ほうかい》への途中にあるようだった。ここに鉱山があったというならそこで働く人々の社宅に間違いないアパート群は、人の存在不存在にかかわりなく旺盛《おうせい》なツタの繁殖力《はんしょくりょく》に侵《おか》され、包まれつつある。商店とおぼしき建物の軒先《のきさき》には、まだ琺瑯《ほうろう》の看板が下がっている。それがますます人のいない街の寂《さび》しさを強調する。なるほど、劇中の杉村の台詞《せりふ》ではないが、これは一度は直《じか》に見る価値がありそうだ。

カメラはそれらを舐《な》めるように写していった。撮影技術の未熟さ、役者の演技の下手さをカバーして余りある、それは迫力《はくりょく》ある映像だった。

役者たちも、その光景には少なからぬ動揺《どうよう》を覚えたようだ。カメラに背を向けたまま、すごいねと誰かが呟《つぶや》いた。それは台詞ではなかっただろうと思う。

しかし、芝居《しばい》は再開される。

『なるほど、ここなら取材のしがいがありそうだ』

勝田がそう言って、ポケットから使い捨てカメラを取り出しぱちりとやる。瀬之上はノートを取り出し何かをメモする仕草をした。それが一段落するのを待って、海藤が大きな声で指示を出す。

『とにかく、今夜休める場所を確保しよう。取材はそれからだ』

『それなら、あそこがいいんじゃない』

鴻巣が再び楢窪の廃墟を指差す。カメラはその指差す先にズームしていく。あったのは、集落の小ささに見合わぬ大きさの、劇場らしき建物だ。

『あそこなら雨が降っても大丈夫そうよ』

『そうか、じゃあ、行こう』

六人は、集落へと続く下り坂を降りていく。一旦《いったん》アウト。

インは劇場の手前から。一団は入口の両開きのガラス戸の前に勢揃《せいぞろ》いし、これも揃って建物を見上げた。カメラも汚れた壁面《へきめん》を上へと映していく。斜《なな》め下からのアングルで撮《と》られた劇場は、奇妙《きみよう》に存在感がある。

再びカメラが一団の元へと下りてくると、海藤がガラス戸を引き開け、彼を先頭に一人ずつがその中へと入っていく。最後に残ったのはやっぱり目を伏せている鴻巣だった。彼女は呟いた。

『なんだか、嫌な予感がする』

そして彼女も劇場の中に。戸は開かれたまま、六人は暗がりの中。カット。

期せずして里志と伊原が、同時に声を上げた。里志は嬉《うれ》しそうに、伊原は不満そうに。

「館《やかた》ものか！」

「館ものなの？」


館……、いや、劇場の中から再開。廃村に電気が来ているはずもなく、建物の中は暗い。夏の陽光に物の輪郭《りんかく》がはっきりしていた外に比べると、画像は格段に見づらくなった。それでも、役者の顔の区別がつかないほどではない。床材《ゆかざい》は石なのだろう。六人の足音がかつかつと入る。

『埃《ほこり》っぽい……』

山西が愚痴《ぐち》っぽく呟いて服を払い、髪をいじる。映像から受ける印象では、多分本当に埃っぽいのだろう。その隣で勝田が上を見上げている。

『どうやら、屋根はしっかりしてるな』

瀬之上はまだノートを手に持ったままで、杉村の方を振り向いた。

『こんな山の奥に、よくこんな劇場が建ったわね』

『鉱山にはお金があったんだ、昔のことだけど。それに、こんな山の奥だからこそ、このぐらいの娯楽《ごらく》がないとやっていられなかったんじゃないかな』

この手の話が好きな里志が、へえ、と呟き、俺にそっと言ってくる。

「なかなか面白味のある台詞も出るじゃないか」

別にビデオ映画の台詞に面白味など求めていないが。

映像の中では海藤が地団太を踏んでいる。ガタイがいいだけあって、床がやたらと大きな音を立てる。何をしているのかと思ったら、カメラがその足元にズームした。僅《わず》かな光を受けて輝《かがや》くのは、どうやらガラスの破片《はへん》だ。

『今夜はここで泊まるわけだが……』

海藤は大げさに眉を寄せた。

『ここじゃ危ないな。ガラスが散らばっている』

そこでカメラがその場で一周、ぐるりを映した。暗くてよくわからないが、ここが劇場なら一団がいるのは玄関ロビーだろう。階段が二つと、部屋が一つ見えた。もう一度、今度はやや上方を向いて一周。二階が見える。ロビーは二階まで吹き抜けになっているようだ。杉村と勝田が相次いで言う。

『泊まれるような場所を、探したほうがいいな』

『そうだな、暗くなる前に』

頷《うなず》いて、海藤は一同を見まわした。

『手分けして、よさそうな場所を探そう。見取図はないかな』

『こっちにあるわよ』

鴻巣が玄関の脇で手招きする。海藤がそちらに向かいかけてシーンはアウト。

カメラはしばらく、鴻巣が見つけた劇場内見取図を写していた。さすがに暗すぎて図が見えないと踏んだのか、ここだけは懐中電灯《かいちゅう》とおぼしき光が照明として当てられている。

「おお、見取図。これぞ！」

感激の声を里志が上げて、その図を描《か》き写しにかかる。画像は細部がぼやけているが、スクリーンに大うつしで映っているので文字も何とか判読できる。図はたっぷり三十秒は映っていたので、里志はそれを描き写すことができたようだ。

それを見せてもらったところによると、この劇場は二階建て。玄関をくぐるとまず玄関ロビー。ここがいま一団がいるところだ。それからそのすぐ隣に事務室がある。建物を奥に進むと壁に突き当たる。壁には扉、中はホール。ホールの奥には当然舞台がある。また、舞台に向かってホールの左右にも通路があり、その通路に沿って控室《ひかえしつ》が右に二つ左に二つ用意されている。その通路の突き当たりは舞台の袖《そで》だ。ちなみに客席から見て右側を「上手袖《かみて》」、左手を「下手袖《しもて》」という。

玄関ロビーの左右には二階への階段がある。右の階段を上るとキャットウォークから照明調光室への扉を横目に舞台上部に出られる。左の階段を上ると、事務室の真上にある用具室に行ける他、照明調光室と左右対称の位置にある音響《おんきょう》調整室と、舞台上部に出ることができる。もっとも左右の通路は玄関ロビー上部で連結されているので、右の階段を上ったから用具室に行けない、ということはない。

スクリーンの中の一団も、これを見ているはずだ。

見取図を映していた映像が、海藤のアップに切り替わる。

『手分けして、中を調べてみよう』

『危なくないか』

と勝田。

『こんな廃墟《はいきょ》で、なにが危ないものか』

言い張る海藤に、瀬之上が疑問を呈《てい》する。

『でも、部屋に入れるかしら。多分、鍵がかかっているでしょ』

それには、海藤に代わって鴻巣が答えた。

『それなら大丈夫よ。きっとあると思う……』

玄関ロビーの隣、事務室に入っていく。不思議なことに、事務室には鍵がかかっていないのだ。カメラは鴻巣の後を追って事務室に入る。鴻巣はまわりを二、三度見渡し、やっぱりあった、と呟《つぶや》くと壁面《へきめん》のキーボックスに近づいた。

『ほら、これ』

そして、ごっそりと鍵を持ち出す。キーボックスには鍵が一つ残された。カメラがその一つを写す。照明が暗いな、と思ったらそこに光が当てられた。ホルダーに書かれた文字を読むに、マスターキーだ。

『これだけあれば、建物の中は調べられるわね』

鴻巣はホールに戻り、鍵の束を海藤に見せる。海藤は頷いて、自ら一つ鍵を選び出した。

『じゃあ、適当に持って行ってくれ。使えそうな部屋がないか、見てまわるんだ。多少散らかっているだけなら構わないが、火を起こしても大丈夫か、横になっても危険がないかを見てくれ』

向き直って皆の前で鴻巣は鍵をぶら下げ、自分の分を取る。手が伸びて次々と鍵を取っていく。鍵は全てなくなった。

「実際だったらさ」

笑みを含んだ声で、里志が言う。

「実際にこういうところに入ったらさ、全員で行動すると思わないかい。分散行動なんて、そんな」

「廃墟の廃屋に入る時点で実際的じゃないが、このシーンが怪しいってことか」

里志はますます笑みを深くした。

「いいや、怪しくはないさ。分散行動をとってもらわないと、事件は起きないんだ。お約束だよ」

「つまり」

「そう、もうすぐ事件だ。チーズドッグを賭《か》けてもいいよ、ここで別れたら、誰か一人が戻ってこないね」

その里志の隣で、伊原がとんでもなく険しい目で俺を睨《にら》んでいる。余計なことを言わずに黙って見ろということだろう。……俺は話しかけられたほうなのだが。

映像の中では、鍵を受け取ったメンバーがそれぞれ見取図を確認し、建物の奥へと消えていく。最初に海藤が。杉村、山西、瀬之上、勝田、鴻巣の順で。ロビーにはそして誰もいなくなった。無人の映像が少しの間続いて、そしてカット。

暗闇の中で、ナレーション。

『事件は、この後に起こる』

「そうだろうとも」

とは里志の弁。

ほら、また伊原が睨んでいるぞ。

次のシーンは玄関ロビーから。

まだ、誰もいない。

その内に、右側の階段を鴻巣が降りてきた。

次に左側通路から山西が現れる。

しばらく置いて、同じ左側通路から勝田が。勝田は先に来ていた二人に声をかけた。

『どうだ、そっちは』

ふてくされたような表情で山西が応じる。

『鏡の破片《はへん》が散らばってて、掃除しないと使えないわね』

鴻巣は黙って首を横に振った。

『そうか。こっちも似たようなものだ』

やがて左側の階段を瀬之上が降りてくる。階段の途中で、大きく手をバツの形に交差してみせる。

勝田がふと上を見上げた。カメラがその視線を追う。すると、吹き抜けのロビーからは二階の用具室の窓がよく見えることがわかった。不自然なぐらい長くその窓が映された後、勝田は二階に呼びかける。

『おおい杉村、どうだそっちは』

杉村は窓から顔を覗《のぞ》かせた。

『割と綺麗《きれい》だよ、燃えるものもない。使えるかもしれない』

『そうか、とにかく降りて来い』

『わかった』

言葉通り、杉村はすぐに降りてきた。ロビーには五人が並ぶ。そこで全員が顔を見合わせた。

なるほど一人足りない。「被害者」は決定だ。山西が言った。

『海藤君は？』

『まだ調べているのか』

勝田が首を捻《ひね》る。

『まあいいさ、残りはここにいるんだ。迎えに行こう。海藤が向かったのは、こっちだったな？』

と右側通路を指差す。全員が順々に頷《うなず》いた。勝田が先頭に立って、一団は右側通路に入っていく。カメラがその後を追う。通路に入ってしまうと、光量はますます足りず、もはや何が映っているのかもわからない。

誰かが懐中電灯《かいちゅう》を点《つ》けた。通路の途中にあるドアを照らす。勝田がそのドアを引き開ける。中は控室。鏡が並び、打ち捨てられた衣装《いしょう》が散乱している。誰もいない。

『おかしいな』

『袖《そで》じゃない？』

その言葉に従って一同は通路を更《さら》に奥に。とにかく暗い。

再び懐中電灯が点けられ、上手《かみて》袖へと続く関係者以外立ち入り禁止のドアを写す。勝田がノブに手をかけるが、ドアは開かない。

『どうしたの』

『開かない。鍵がかかってる』

『どうする？』

『……事務室にマスターキーがあったはずよ。取りに行って来る』

誰が何を言ったのかもわからないやり取りの後、ばたばたと誰かが走っていく足音。どうやら足音は二種類が入り混じっている。走ったのは二人だろう。一瞬シーンカットの後、再びドアに光が当てられ鍵がドアに差し込まれる音。ドアは開かれ、一団は部屋の中へ。

上手袖には窓があり、本来下げられている暗幕は取り外されていて陽《ひ》の光が入っている。その光に照らされ、部屋の奥、窓際《まどぎわ》に人が倒れていた。当然だが海藤だ。

『海藤！』

杉村が駆け寄る。勝田も相次いで。が、海藤の直前で杉村が転んだ。起き上がって、手の平を見つめる。カメラが寄ってその手を写す。光量が充分《じゅうぶん》でなくわかりづらいが、どうやら汚れているようだ。杉村は呟《つぶや》いた。

『血だ……』

悲鳴が上がった。部屋の入口に立つ女三人をカメラは写す。山西は絶句して手を口に当てている。瀬之上は自分の腕を抱いている。鴻巣は拳《こぶし》を固く握《にぎ》っている。倒れている海藤は、腹部がたっぷりの血糊《ちのり》に汚れていた。目は閉じていた。そのほうがいい、下手に白目を剥《む》いてみせるよりは。映像はそこで、海藤の傍《かたわ》らをズームアップした。なんと腕が取れて転がっている。小道具に違いないが、画面の暗さも手伝ってなかなかの迫力《はくりょく》。そして腕の隣に落ちているのは、海藤の持っていった鍵だ。

「ああ……」

と嘆息《たんそく》がすぐそばで聞こえたのは、千反田か。

映像の中では次いで、勝田が絶句する。

『海藤！　畜生《ちくしょう》、誰が』

素早《すばや》い立ち直りだ。勝田は窓に駆け寄って、それを開けようとする。窓は見たところ上開きのものだ。長年使われていなかった窓は建て付けが悪く、なかなか開かない。勝田は窓枠《まどわく》をつかんでがたがたと揺《ゆ》さぶり、最後にはほとんど体当たりのようにしてそれを押し上げる。重い軋《きし》みを上げて開いた窓から身を乗り出して、外を見る。相変わらずの手ブレをみせながらカメラが外を写す。窓の外に、建物の壁《かべ》ぎりぎりまで夏草が茂《しげ》っているのが映る。

勝田は身を翻《ひるがえ》し、今度は舞台の方へ向かう。明るい外から暗い中へ急にカメラを振るものだから画面は一瞬真っ暗になった。が、それでもカメラが勝田を追っていることはわかる。勝田は舞台に飛び込んで、一気に下手袖に駆け込んだ。そこで勝田は立ち止まる。下手袖と左側通路を繋《つな》ぐ扉は、積まれた角材で完全に塞《ふさ》がれていたからだ。

『そんな……』

暗転。

そして。

映像はそのままぷっつりと消えてしまったのだ。

「…………」

しばらく待ってはみた。しかしスクリーンは何も映さない。

「終わり、なの？」

気の抜《ぬ》けたような声で呟いたのは伊原だ。

「……みたいだねえ」

里志がそう応じたのを合図にするように、ウインチの動く音がして、スクリーンは巻き上げられていく。千反田がそのスクリーンを繋ぎ止めようとでもするように中空に手を伸ばすのが哀《あわ》れを催《もよお》す。

「え、え、だってまだ終わってませんよ」

「いや待て、機材に故障があったのかもしれん」

俺がそう言うと、背後から答えが返った。

「それは違う」

振り返ると、いつの間に操作室から出ていたものだろう、入須が立っていた。手にはビデオテープを持っている。

「テープはここまでよ」

全く動揺《どうよう》がない。当然入須は知っていたのだろう、テープがここまでということを。里志がどこか取り成すように言った。

「それじゃあ、物語はあそこで終わりなんですか。結末はあなたの胸に式の」

「それももちろん、違うわ」

なら要するにこのテープは未完成ということだ。ひとを招いておいて、まだ出来上がってもいないビデオ映画の試写会を開いたのか？

俺はぼそりと呟く。

「説明してもらいましょうか。まさか『試写会』がこれで終わりでもないでしょう」

入須はじっと俺を見て、頷《うなず》いた。

「説明はする。でもその前に一つだけ聞かせて。……いまのビデオ、技術的にはどう思う」

俺たちは顔を見合わせた。千反田はどうかわからないが、残りの三人の意見は恐らく一致《いっち》しているだろう。そして答えたのは伊原だった。

「正直に言わせてもらうと、稚拙《ちせつ》、だと思います」

それは予期された通りの答えだったのだろう。

「私もそう思う。……君らも知っているかもしれないけど、カンヤ祭は文化系部活の祭典。本来ならクラス活動の入る余地はそこにはないわ。けど、私のクラスの者たちはそれをよしとしなかった。必要な技術を持った人間はみなそれぞれの部活動に没頭《ぼっとう》しているというのに、彼らはそれでも自分たちのものを作ろうとした。でも技術のない者がいくら情熱を注いでも結果は知れたもの。ご覧の通りにね」

辛辣《しんらつ》な真理を、何の感情も交えず淡々《たんたん》と述べる。

だが、それはそれでいいのではないか？　そう俺が思うと、その通りのことを入須も言った。

「私はそれでいいと思う。彼らは彼らのものを作りたいだけなのだから、好きにやればいい。その結果、見た者に嘲笑《ちょうしょう》されることになったとしても、彼ら自身もそんなことは気にしないでしょう。自己満足の世界よ。馬鹿馬鹿しいことだけど、それは許されていいことだと思う」

「出来不出来は問題じゃない、と？」

伊原の言葉に、入須は頷く。

「完全に埒外《らちがい》とは言わない。上出来なら満足も深いでしょう。けれど本質的に重要とは思わない。……なら、この企画にとって致命《ちめい》的な事態とは、どういうことだと思う？」

少し考え、里志が答えた。

「完成しないこと、ですね」

「そう。それでは自己満足にもならない。なのにビデオはまだ完成していない。見てもらった通りロケ地が特殊だから、撮影《さつえい》は夏休みの間にしかできないのに」

「撮影が、上手く行かなかったんですか」

気遣《きづか》わしげに千反田が訊《き》く。

「問題はあっても、彼らはそれを解決してきたわ。交通の便や脚本の進行具合を考えて撮影は二回に分けられ、スケジュールの消化は順調だったそうよ。時間的には、次の日曜の撮影でビデオは完成するはず」

「ところがそうは問屋が卸《おろ》さない、と」

冷やかすような俺の言葉に、入須は真摯《しんし》に答える。

「技術を持たない者に役割をまわしたひずみが、致命傷になったわ。彼らはビデオ映画を作ることを決め、内容を『ミステリー』とだけ決めた。けれど、それに適した脚本を書ける人間はいなかったわ。物語を作ることに経験のある者さえ、ひとりしか。そのひとりは、本郷真由《ほんごうまゆ》という名前だけど、漫画《まんが》を少し描《か》いたことがあるだけだったのに、一時間のビデオ映画の脚本を託《たく》されたのよ」

それがどれほど厳しい事態なのか、物語を作った経験のない俺にはわからない。が、隣で伊原が眉をひそめたのが視界に入った。やつも「漫画を少し描いたことがあるだけ」の人間だ。同情するところがあるのだろう。

「本郷はよくやってくれた。ミステリーというジャンルに全く触れたことがない状態から、よくここまで脚本を書いてくれたと思う。だけど、彼女は力尽《つ》きた。いま君らに見てもらったところまでを書いた後、倒れてしまったわ」

倒れた、とは穏《おだ》やかでない。千反田が声を落とした。

「どうしたんですか」

「神経性の胃炎《いえん》。精神的に鬱《うつ》状態。重病というのじゃないけど、この先を要求はできない。後を継ぐ者が必要よ」

ぞくりとした。

「まさか、それを俺たちに？」

脚本家の真似事《まねごと》を？

入須は小さく笑った。

「いえ、そんなことは頼まない。私はただ、試写会を開いただけ。そして、見てくれた君らに訊くだけよ。……あの事件の犯人は、誰だと思う？」

思えば、あのビデオはミステリーといいながら探偵《たんてい》役らしい者がいなかった。それは第一に映像が解決まで進んでいなかったからだし、第二には多分、聞かされた企画の出発点から考えて出演者全員に均等に出番を割り振ったからだろう。それにしてもまさか、俺たちが「探偵役」を振られるとは思わなかった。しかし……。俺が納得できずにいる間に、伊原が素早く訊き返した。

「そう言いますけど先輩。あそこまでの映像で犯人を割り出せるとは限らないんじゃありませんか」

入須は首を横に振る。

「そのことなら心配ない。本郷はこれから解決篇《へん》を書くというところで倒れたから、この次のシーンはもう解決に入るはず」

里志も尋《たず》ねる。

「でも、探偵小説初心者が書いた脚本に、ちゃんと手がかりが撒《ま》かれているのかな。最後に意外な真実が、だけじゃあ困る」

「その点も大丈夫。あの子は神経を使いすぎるぐらい使ってあの脚本を書いていたわ。『ミステリーの勉強』をしてね。十戒《じっかい》も九命題も二十則も、守ったはずよ」

千反田の顔に疑問符《ぎもんふ》が浮かんだ。多分俺の顔にも。十戒だって。

「十戒って、汝神《なんじ》の名を妄《みだ》りに唱えるなかれ、のですか？」

なぜそんなマイナーな戒をたとえに出すかな。その千反田の疑問には里志が得意気に答える。

「いいや、そのモーゼの十戒に倣《なら》った、ノックスの十戒さ。中国人を登場させてはならない、とか、要するに探偵小説におけるルールを謳《うた》った文句だよ。その本郷さんがそういうものを守ったのなら、フェアプレイに疑いはないね」

中国人が出てはいけないって、娯楽《ごらく》ものに中国人が登場すると政治的に何か問題でもあるのだろうか？　しかしSFにはよく出てくると思うが……。第一フェアプレイとは関係ないだろう。ノックスとやらを調べればわかるのだろうか。

俺が悩《なや》んでいる間に、入須は総括《そうかつ》する。

「つまり問題は適切に提示されているということ。……それを踏まえた上で、『犯人』は誰だと思う？」

山奥の廃村《はいそん》で起きた殺人事件の犯人は誰か、か。ふざけた話だ。

里志と伊原、千反田がそれぞれ顔を見合わせる。

「誰、と言われると、弱いなぁ。データベースは結論を出せないんだ」

「そうね、わたしもちょっと自信が……。怪しいと思うのはいたけど」

「あの、ビデオの中で海藤さんは亡くなっていたんでしょうか？」

てんで勝手なことを言った後で、ほとんど同時に、俺を見る。背もたれに深くもたれかかったまま、俺はその三つの視線に射られる。少しだけ目を明後日《あさって》の方向に向ける。

「……なんだよ」

「いやあ、この手はホータローの担当じゃないかなと思ってね」

いつもの笑い顔で、ぬけぬけと里志。

「この手ってのはどの手だ」

「つまりさ、『探偵役』は、だよ」

その時、俺は自分がどんな表情をしているか完全に予想することができた。どういう表情かといえば、里志の言う通りだ。

「嫌そうな顔だねぇ」

無言で頷《うなず》く。俺は一般的高校生としてまた省エネルギーを主義と奉《ほう》じる者として、妙な見込みは金輪際《こんりんざい》お断りなのだ。買い被《かぶ》ってもらっては困る。それになにより、

「それほど真剣に見てなかった」

間髪《かんはつ》入れずに千反田が声を上げた。

「それならもう一回見せてもらいましょう！」

そうなるか？

俺の心中を察したように、入須が諭《さと》してくる。

「私は参考意見を聞きたいだけだから、気楽に言ってくれればいいわ」

「そうですか。では山西先輩だと思います」

千反田が首をかしげた。

「どうしてですか？」

「態度が悪かったから」

「折木！」

伊原の鋭《するど》い叱声《しっせい》。しかし俺は怯《ひる》まなかった。伊原が怖いのはやつが過《あやま》ちに厳しいからであって、いま別に俺は間違っていないのだ。

「それじゃあ勝田だ。力がありそうだ」

溜息《ためいき》をついて、里志が腕を組む。

「ふぅん、どうも乗り気じゃないみたいだね。おいそれと変なことは言えない、ってかい」

それもある。が、それだけじゃない。どうにも納得ができないのだ。俺は、まっすぐ俺を見《み》据《す》えている入須に言った。

「訊《き》きたいことがあります」

「どうぞ」

「なんで外部の俺たちに訊くんですか。二年F組の問題なら二年F組で解決すればいいじゃないですか」

もっともだ、というように入須は頷く。

「話し合いは持ったし、意見も広く求めたわ。だけど、どれもどことは言えなくても首をかしげたくなるものばかり。さっきの言葉をもう一度持ってくれれば、必要な技術のない人間にはいい仕事はできないということよ」

「先輩自身にも？」

「残念ながら。私はどうしても、誰が犯人役ならば最も収まりがいいかを考えてしまう。それに、私は全体を見渡さなければいけないわ。ここだけに時間を割《さ》くことはできない」

「それならどうして、最初にミステリーが題材になるのを止めなかったんですか」

少し詰問《きつもん》するようになってしまう。入須はここで初めて目を伏せた。が、冷厳《れいげん》な口調は変わらない。

「私は最初は企画に参加していなかった。この三週間、ずっと北海道にいたわ。神山に戻ってきて、監督《かんとく》役の子に事情を聞かされて、事態の収拾に乗り出したのが一昨日《いっさくじつ》。もし最初から参加していれば、こんな杜撰《ずさん》な計画を進めはしなかったのに」

それなら先輩には関係のない話じゃないですか、クラスメートを見捨てるのが忍《しの》びないですか。……とは、さすがの俺も言えなかった。

質問を変える。

「二つ目。どうして俺たちなんです。千反田にまわりくどい話をしたようですが、最初から俺たちを呼ぶつもりだったみたいじゃないですか。小さな学校とはいえ神高生は一千人、そのなかでなぜ俺たち古典部なんですか」

「まず、千反田と面識があったこと」

なら多分こう付け加えられているのだろう。千反田なら興味を持ってくれるだろうと思ったこと、と。それから入須は、俺と視線を合わせた。

「そして、もう一つは、君がいたこと」

「俺が？」

　これは意外な返答だった。千反田や里志、伊原が俺に目を向けたのはわからないでもない。純然たる幸運に助けられてとはいえ、先の『氷菓』事件では我ながら多少冴《さ》えたところがなかったわけでもないから。しかしなぜ、一面識もない入須が？

　なぜか少し、入須は口元を緩《ゆる》めた。

「君の話は三人から聞いていた。一人は千反田。一人は学外の人間。そしてもう一人は、遠垣《とおがい》内《と》将司《まさし》よ。知っているでしょう」

　遠垣内将司？

「誰だっけ」

「折木、あんたはどこまで！　壁新聞部の部長よ」

　ああ、あの。思い出した。思い出して俺は、鼻白《はなじろ》む。

　遠垣内は以前にちょっとした縁《えん》があった三年生だ。詳細《しょうさい》は省くが、俺は彼が隠しておきたいと思った弱みを利用して、ささやかとは思うが脅迫《きょうはく》をしたのだ。あまりいい思い出ではない。

　入須はそんな俺の表情を読んだようだ。

「大丈夫、遠垣内は君を悪く思ってはいない」

　それはそれは、どうかよろしくお伝えください。

「スタッフに誰も技術がないことがわかった時、私は君のことを思い出した。君ならもしかしたら、このビデオの『探偵役《たんていやく》』を務められるかもしれない、と」

「…………」

「すごいねホータロー。実績が大反響《はんきょう》を呼んでるよ！」

からかってくる里志をひと睨《にら》み。入須に視線を戻すと、自然と溜息が出た。俺が、探偵役だって？　率直《そっちょく》な気持ちは、こうだ。

「変な期待は困ります」

すると意外なことに、入須はあっさりと引き下がった。

「そうね」

一息置いて、続ける。

「君らにビデオを見てもらったことは、私にしても一つの賭《か》け。ひょっとしたら快刀乱麻《かいとうらんま》を断つような結末が待っているかも、と甘い期待を持ったことは確かよ。……君らには迷惑な話だったと思う。謝るわ」

そう言うと入須は、頭を下げた。

「他に訊きたいことは、何かある？」

勢いを殺《そ》がれ、俺はもう何も訊く気がしなかった。

それを確認すると、入須はあっけなく幕を引こうとした。

「なら、試写会はこれで終わり。ありがとう、ご苦労さま」

しかし、事がこれで終わるはずがなかった。俺は忘れていたのだ、この場にはこいつがいることを。そう、森羅万象《しんらばんしょう》に謎を見つけぬことなき好奇心の申し子、千反田える。

踵《きびす》を返した入須に、千反田が叫ぶように呼びかけた。

「待ってください！」

「……まだ、何か？」

「あの、それじゃあ、そのドラマの結末はどうなりますか。あの後はどうなるんですか？」

振り返って入須は答えた。

「わからない。努力は続ける。けど、未完成に終わることも覚悟はしているわ」

「それじゃあ困りますっ」

困ると言っても……。入須も困っている。千反田は入須に歩み寄る。

「さっきの入須さんのお話し通りなら、そのビデオが完成しないのはとても哀《かな》しいことです。わたし、そんなのはいやです」

いやと言っても……。入須だっていやだろう。

「それに、それに」

俺は眉根《まゆね》を揉《も》んだ。これは駄目だ。もう始まっている。問題に巻きこむ相手に千反田を選んだ入須の選択は正しかった。

「脚本家、本郷真由さんはなぜ、信頼と体調を損《そこ》ねてまで途中でやめなければいけなかったのか。……わたし、気になります」

俺の隣で、里志が言う。

「ホータロー。『探偵役』云々《うんぬん》はともかくとしてさ。あの事件を解決するにはちょっと情報が足りないと思わないかい」

「まあ、確かに」

「じゃあつまり、情報を集めれば解決に辿《たど》り着けるかもしれないよね？」

いや単純にそうはならないだろう。

しかしそれを聞いて、恐らくは里志の目論見《もくろみ》通り、千反田は勢い込んで振り返る。

「折木さん、やりましょう。本郷さんの遺志を知るんです！」

「本郷は死んでいない」

冷静な入須の訂正《ていせい》は、お嬢様の耳に入っているかどうか。

里志はもう一つ言う。

「摩耶花、文集の進行具合はどうかな。ここで一週間ほどまわりみちしても、なんとかなるよね？」

仏頂面《ぶっちょうづら》で、摩耶花は応じる。

「一番進んでいないのはふくちゃんよ。わたしの分なんかほとんど出来てるんだから」

「や、やあ、それなら心配いらないね」

それから伊原は、呟《つぶや》くように付け加える。

「わたしも、あの映画の完成版は見たいわね。撮影《さつえい》技術はともかく、日本の廃村《はいそん》の絵があんなに効果的だとは思わなかったわ」

俺は……。

やっぱり千反田相手だと具合がよくない。こうなってしまってはもう、断固断ってもこいつは逃がしてくれない。逃げようと思えば、事に取り組むよりずっと多大なエネルギーを費《つい》やさねばならないのだ。それは浪費《ろうひ》で、俺は浪費は嫌い。

しかし、今回ばかりは……。

入須の言うまま「探偵役」を受け入れるわけにはいかない。俺の省エネのモットー云々とはもっと別の次元の理由から、だ。その理由に気づいていないか、気づいていても黙殺《もくさつ》している三人に、俺はできるだけ冷たく言い放った。

「それで、ここで話を引き受けて、もし駄目だったらどうするんだ。殺気立った二年F組のお歴々の前で、土下座でもするのか」

俺たちは探偵小説研究会じゃない。活動目的不明の古典部なのだ。俺にしたって、『氷菓』事件での自分の活躍は幸運に助けられてのものだと確信している。ここで入須に安請合《やすうけあ》いしても成算は低い。そんなことで、二年F組のプロジェクトに責任を負おうというのか。

きつい言葉に、千反田が一瞬水をかけられたようにしゅんとなる。伊原はすばやく反論しようとしたのだろう、口を開きかける。

しかし、絶妙《ぜつみょう》のタイミングで入須は折衷《せっちゅう》案を提示してきた。

「それなら、『探偵役《たんていやく》』をそのまま務めてくれとはいわない。私のクラスにも、『探偵役』志願はいるわ。彼らの話を聞いて採否に参考意見を述べる、オブザーバー的な役目ならどう?」

オブザーバー、ね。犯人は誰かという推論の当否を判断するなら、オブザーバーというより審判《しんぱん》、陪審《ばいしん》といったところか。確かにそれなら、負う必要のない責任は逃《のが》れられる。

今度は省エネ主義者的に断りたい気持ちが膨《ふく》れ上がるが、この動機では目を潤《うる》ませる千反田を説得できないことは既に証明されているところだ。

俺は渋々《しぶしぶ》、言うしかなかった。

「それなら、まあ」

それを聞くと千反田は微笑《ほほえ》み、伊原は腕を組み、里志は俺に向かって親指を立ててみせる。そして入須は殊勝《しゅしょう》に頭を下げた。またしても、厄介《やっかい》事に関わってしまったのか。まあ、座っていればいいのだろうから、気は楽だとはいえ。俺は心中で溜息《ためいき》をついた。

……ところで、顔を上げた入須が一瞬、何ともいえぬ会心の表情を浮かべたように見えたのは、俺の気のせいだったろうか?

二　『古丘廃村殺人事件』

試写会の後、地学講義室に戻《もど》ってから里志の言ったことに拠《よ》れば。

「入須冬実、あの人は有名人だよ」

「ほう。三面に載《の》ったことでもあるのか」

「いいや、それは知らない。あっても驚かないけどね。前に言わなかったっけ。入須は桁上《けたあ》がりの四名家に並ぶ名家だよ」

桁上がりの四名家とは、十文字《じゅうもんじ》、百日紅《さるすべり》、千反田、万人橋《まんにんばし》の四つの家のことを指す。いずれ劣《おと》らぬ神山市の旧家、らしい。ちなみにそのセンスのおかしいネーミングは里志の手になるもので、俺の知る限りその言葉を使うのは里志だけだ。

里志は窓の外を指差した。窓の外は街並み。

「入須は恋合《れんごう》病院の経営者だ」

どうやら里志が指したのは、街並みの中でも恋合病院だったようだ。恋合病院は神山市で、日本赤十字《にほんせきじゅうじ》病院に次ぐ規模を誇《ほこ》る総合病院。神山高校からは徒歩五分の位置にあるので、この学校で怪我《けが》を負った者はまずはそこに行く。なるほどそれなら入須冬実が有名になるわけだ。

しかし、納得したような俺の顔を見て、里志は続けた。

「けど、入須冬実が有名なのは、それだけでじゃない。あの人には渾名《あだな》がある」

「ほう」

「どうだいホータロー。当ててみないかい」

クイズにチャレンジするつもりはないが、問われるままに考えてみる。里志がわざわざ問題にするぐらいだ、伊原風にいりちゃんとでも呼んで済むわけがない。そうだな、冷厳たる雰囲《ふんい》気《き》、堂々たる態度。潔《いさぎよ》さ。その実、級友のため一肌脱いでいる。ふうむ。

「……テレジア」

里志は破顔した。

「うまい、いいところを突いてるね！『女帝《じょてい》』だよ。この件は『女帝』におまかせだな、って感じで何度か聞いた」

女帝。それはまた、なんとも大袈裟《おおげさ》な渾名がついているものだ。そんな尊称《そんしょう》を奉《たてまつ》られるとはさてはあのひと、

「サディスティックなのか」

教室の反対側で千反田と何やら話し込んでいた伊原が、この時だけ振り返った。

「それは女王様でしょ」

そしてまた背中を向ける。そのつっこみ魂《だましい》に敬礼。

「そうだったか。で、『女帝』とは？」

「美貌《びぼう》もさることながら、人使いが上手くて荒いんだそうだよ。彼女のまわりの人間は、いつしか彼女の手駒《てごま》になる、ってさ」

「ほう」

「さっきちょっと僕が言った総務委員会での一件もそうだったね。入須先輩は、問題に部分的な見通しを持っている三人を委員の中から見抜いて、彼らに順序よく発言させることによって解決を導いたんだ」

　そいつは大したものだ。半分は差っ引いて聞くにしても、どうやら司令官タイプではあるらしい。しかしそれだと俺にとっては随分《ずいぶん》嫌な展開。というのも、俺は誰のためにも尽《つ》くす気はないが、どうも上手く使われてしまいそうだからだ。

　腕を組んだ俺の前で、里志は指で机をとんとんと叩く。リズムを刻むその指の動きが止まったかと思うと、やつはにやりと笑ってみせた。

「それにしてもさ」

「なんだ」

「せっかく『女帝』がご登場あそばしたんだから、僕らもシンボルの一つぐらい欲しいもんだね」

「シンボル？」

しばし里志は宙を眺《なが》めていた。やがて、そうだね、と切り出す。

「まず、摩耶花は『正義』かな」

『女帝』に『正義』といえば、いくら俺が迷信を信じない純粋《じゅんすい》理性体であっても見当はつく。タロットカードだろう。里志は伊原本人にも聞こえるような声で言ったので、俺は今後の成り行きを見守ろうと黙って聞いていた。

予想の通り、伊原はくるりと振り向いてはるばる教室の反対側から噛《か》みついた。

「なんでわたしが正義の味方なのよ」

里志も体を捻《ひね》る。

「味方はつかないよ、『正義』。『審判《しんぱん》』と迷ったんだけどね。ほら、正義は苛烈《かれつ》ってのが相場じゃないか」

吹き出しそうになった。俺はタロットで「正義」がどんな暗示を持っているのかは知らないが、里志が言ったような意味でなら確かに伊原には「正義」が似合う。そんなことを思っていると、伊原が俺を睨《にら》みつけた。

「なに笑ってるのよ」

「おい、抗議《こうぎ》は里志にしてくれ」

「ふくちゃんに言っても聞いてくれそうもないからあんたに言ってるんじゃない」

……随分な扱《あつか》いだ。

興味を覚えたのか、伊原は席を立った。一緒《いっしょ》に千反田も立ち上がり、二人でこちらに寄ってくる。里志のすぐ隣で、伊原は平板な胸を反らせる。

「じゃあ、ふくちゃんはなんなのよ」

「僕？　そうだね。『愚者《ぐしゃ》』……、いや『魔術師《まじゅつ》』かな。『愚者』は千反田さんに奉るよ」

無神経な物言いだな。他人を愚者と呼ぶとは。しかし当の千反田はと見れば、気を悪くした様子もない。念のためだろう、里志は付け加える。

「悪い意味じゃないよ。千反田さんはわかると思うけど」

そう言われて、千反田は口元を緩《ゆる》めた。

「わかっています。そうですね、言われてみればわたしも『愚者』かなと思います。そこがわたしのよくないところとも思いますけど。……福部さんが『魔術師』というのも、イメージに合いますね」

どうやら今度はタロットの暗示に関係があるらしい。里志と千反田の間ではタロットカードの名前で会話が成立しているようだが、俺には全く理解ができない。伊原もふくれているところを見ると、よくわかっていないのだろう。

「それでは折木さんは？」

里志は即答《そくとう》した。

「そりゃ決まってる。『力』さ」

「?　どうしてですか。わたしは『星』がいいと思うんですが……」

「いや、どうしたって『力』だね。ばっちりだ」

そして、上々のジョークを思いついたような顔で自分の台詞《せりふ》に笑う。千反田は首をかしげてしばし考えるようにしていたが、どうもぴんと来ないらしい。俺と伊原は言わずもがな。

「どういうことですか」

「いやあ、まあ『星』も悪くないけどね」

　里志はそうお茶を濁《にご》す。千反田は左にかしげた首を今度は右に傾けたが、幸い、気になりますとは言わない。俺は椅子の背もたれに深くもたれかかり、せいぜい不快そうに言った。

「……ふん、褒《ほ》めているわけじゃなさそうだな」

「そうでもないさ!」

　またひとしきり笑う。忌々《いまいま》しいやつだ。

　話題はそれから、また別の方向へと脱線《だっせん》していく。思えば非生産的な時間だが、エネルギーは消耗《しょうもう》していないのでよしとしよう。俺たちには明日もあるのだ。


　明けて翌日。

　三々五々、といってもフルメンバーで四人なので陸続《りくぞく》というほどでもないが古典部メンバーは部室に集結した。目的は暇《ひま》つぶ……、いや、殺人事件の検討だ。神聖なる無為《むい》である夏休みにわざわざ学校まで出張ってこんなことをしているとは、俺も随分《ずいぶん》活動的になったものだ、と自嘲《じちょう》する。それもこれも結局は千反田のせいなのだが。……実は俺はやっぱり行きたくなかったのでその旨《むね》里志に連絡《れんらく》したのだが、そうしたらなんとお嬢様《じょうさま》、我があばら家まで迎えに来たのだ。全く精力的な。

その千反田は、何が嬉《うれ》しいのかにこにことたたずんでいる。何とはなしに溜息《ためいき》をつく俺の横では、里志と伊原が今日の行動について話し合っている。

「やっぱり、基本は現場検証だよね」

「そんなことといっても舞台は古丘町でしょ。行くの、向こうまで？　バスは通ってるけど、列車だと遠いわよ」

「探偵《たんてい》は足で稼《かせ》がないとね。とはいっても二十キロかぁ、サイクリングにもいい距離《きょり》だね」

「足で稼ぐっていうと、探偵というより刑事《けいじ》みたいな気がするけど……」

勘弁《かんべん》してくれ、二十キロだと？　俺たちは座して二年F組の「探偵役」志望のお話を拝聴《はいちょう》すればいいだけだろうに。

しかし実際のところどうしたものか。俺たちは二年F組に広く顔を知られているわけじゃない。下級生が乗りこんで行って先輩ちょっとお話を、ともいかないだろう。第一誰に話を聞けばいいのかも聞いていない。さてどうするかと考えると、千反田がやたら落ち着いているのが気になってくる。

「千反田。何か今日の当てがあるのか」

訊《き》くと、こくりと頷《うなず》いた。

「ほう。どうする」

「入須さんからの使いを待って、スタッフの方に話を伺《うかが》います」

なんだ。使いが来るって、もう話がついているんじゃないか。まあ、考えてみれば当たり前だが、

「いつの間に打ち合わせを？」

千反田は、秘密を告げるようにそっと言った。

「実はですね。……わたし、ブラウザが使えるんです」

ブラウザ。

「妙《みょう》な表現をするな。要するにインターネットをやってるってことだろう。いまどき、珍しくもない」

「その言い方は違うよホータロー、それを言うならWWWがワールドワイドで」

里志が猛然《もうぜん》と抗議《こうぎ》してくるが、無視する。

「それで、インターネットが何か関係しているのか？」

「神山高校のホームページには生徒だけが入れるチャットルームがあるんですが」

「その言い方は違うよ千反田さん、それを言うならページでサイトの」

なんと千反田も里志を無視した。

「そこで入須さんとお話ししたんです。入須さんは、自分は顔を出せないかもしれないけど場所はセッティングして、案内に代わりの人をよこしてくれると言っていました」

ふむ、手まわしのいいことだ。まあそのくらいはしてもらわないとこちらも困るのだが、女《じょ》帝《てい》といっても玉座にふんぞり返ってよしとはしないようだ。

千反田は教室の黒板上部に掛《か》けられた時計に目をやった。つられて見れば、時刻は一時をまわっている。

「約束は一時ごろ、でした。そろそろですね」

その言葉を待っていたように、ドアが静かに開かれた。

地学講義室に入ってきたのは女子生徒だった。背の丈《たけ》は千反田より低く伊原よりは高い。つまりごく一般的。全体のフォルムは細めに見える。何より特徴《とくちょう》的なのは肩の上あたりでかっちりと襟足《えりあし》を切り揃《そろ》えた髪形《かみがた》だ。俺はファッションにも疎《うと》いが、そういうおとなしい髪形がいまどき珍しいことぐらいはわかる。くちびるが薄《うす》いのとあいまって、俺は折り目正しい印象を受けた。

そいつはまず、俺たちに深々と頭を下げた。

「古典部の部室は、ここでいいですか」

千反田が即答《そくとう》する。

「はい。……あなたは二年F組の方ですね」

「江波倉子《えばくらこ》といいます。よろしくお願いします」

とまたお辞儀《じぎ》をする。俺たちが一年生だと知っているだろうに、随分《ずいぶん》と腰の低いことだ。江波と名乗った女は頭を上げると俺たちを見まわした。口振りはひどく事務的だった。

「入須からお願いがあったと思います。今日はこれから、プロジェクトのうち撮影班《さつえい》に属した人を皆さんに引き合わせます。……準備がよければ、案内しますが」

準備といわれても、特に準備するものがあるわけでなし。すぐに行けるという意思表示の代わりに席を立つと、他の連中もめいめい立ち上がる。江波は一つ頷いた。

「では行きましょう」

言葉に従い、地学講義室を出る。これから事情聴取《ちょうしゅ》に行くのかと思うと、何だか居心地《いごこち》が悪いが、これも成り行き。川の流れに棹《さお》ささず、だ。

ぶんがぶんがとブラスバンド部が音合わせを始めた廊下を行く。耳慣れたメロディーだがなんだろうと思ったが、なんのことはないルパン三世なのだ。ボーカルを口ずさんでいると、里志が近づいてきて、大音響《だいおんきょう》に紛《まぎ》らすように言った。

「使用人みたいだね」

突然何かと思ったが、江波のことか。言われてみればなるほど。

階段を降りると、音楽は少し遠ざかった。江波が歩みを止めないまま振《ふ》り返る。

「何か訊《き》きたいことがあればどうぞ」

さあらぬふりで今回の一件にはなかなか乗り気らしい伊原が、早速質問した。

「話を聞かせてくれるのは、何て人なんですか」

「名前ですか。中城順哉《なかじょうじゅんや》です」

俺は里志に目配せする。知ってるか、という問いだ。里志は首を横に振った。ということは有名人ではないということだ。

「どんな仕事の」

「撮影班で、助監督《じょかんとく》です。撮影の全体像を最もよく知る人間の一人です」

反応して、千反田も訊く。

「撮影班。ということは、他にも班があったということですね」

江波は頷《うなず》いた。

「プロジェクトは三つの班に分かれました。実際に楢窪地区に向かった撮影班と、学校に残った小道具班、広報班です」

「あら、役者の方は……」

「撮影班に入ります。なので撮影班が一番人数が多く、十二人です。あとは小道具班が七人、広報班が五人」

　よくそんな人数がさらりと出てくるものだ。俺は素直に感心する。

　続けて千反田は、当然の問いを発した。

「江波先輩は、何をされていたんですか」

　江波は、それまでと全く変わらぬ遅滞《ちたい》ない様子だった。

「わたしはプロジェクトに参加していません。……興味がなかったので」

　俺はにやりとする。俺好みの、実にいい回答だ。

　そうこうするうちに俺たちは特別棟《とう》と一般棟を結ぶ渡り廊下を渡る。一般棟は文字通り一般教室が並ぶ建物で、こっちに入ると神山高校の文化祭に向けた活気は少し落ち着く。特別棟と違って、ひとけが全くない教室も多い。

　江波はそうした無人と思われる教室の一つの前で足を止めた。プレートを見れば、二年C組とある。入須のクラスは二年F組のはずだが。俺と目が合うと、江波は説明した。

「落ち着いた場所のほうがいいということで、ここになりました。二年C組はクラス展示をしません、まずは誰もこないでしょう」

　ドアが引き開けられる。

　中は一般教室。机と椅子と教壇《きょうだん》と黒板に象徴《しょうちょう》され、それ以外には見るべきもののない所謂《いわゆる》教室だ。

その教室の、最前列に陣取《じんど》って、腕を組んでいる男がいた。体つきはがっちりとしていて膂《りょ》力《りょく》がありそう、眉が濃くてついでに髭《ひげ》も濃い。剃《そ》ってはいるのだろうが……。聞くまでもなく彼が助監督、中城順哉だろう。彼は俺たちを見ると、鷹揚《おうよう》に立ち上がる。そして、不必要に大きな声で、

「お前らか、ミステリーに詳《くわ》しいってのは」

と言った。

別に詳しくありません、と答えてやりたい衝動《しょうどう》にかられるが、その手の悪戯《いたずら》を仕《し》掛《か》けて事が面倒になるのは趣味じゃない。黙《だま》っていると、江波が話を進めてくれた。

「そう。入須が折角見つけてきた人材なんだから、丁重《ていちょう》に」

そして俺たちに向かって、中城を手で示す。

「彼が中城順哉です」

中城はあごだけをちょっと突き出す感じにした。挨拶《あいさつ》のつもりらしい。

半歩前に出て、千反田が名乗る。

「古典部の千反田えるです」

以下順々に。俺は一番最後に、折木奉太郎ですよろしくお願いします、と無難に済ませた。

こちらに、と誘導《ゆうどう》する江波に従って俺たちは中城と向かい合って座る。全員が落ち着くと江波は、

「それでは、後はよろしくお願いします」

と言い残して教室を出ていった。立ち合わないのか。どうやら彼女、本当に「入須からの使い」というだけのようだ。

残された俺たちは中城と差し向かい。いよいよ、だ。

中城は組んでいた腕をおもむろに解いた。

「厄介《やっかい》な話を持ちこんですまんなあ。ノリで始めた計画でも、落ちがつかんと寒いからな。まあ、ちょっと手伝ってくれよ」

そうですかノリでしたか。

「事情は入須が話したんだろう。まあ、そういうことだ」

ふむ、随分《ずいぶん》とざっくばらんなことだ。俺が心配だったのは、仮にも上級生である二年F組のスタッフが俺たち一年生に審判《しんぱん》を受ける形になることを嫌がりはしないかということだったが、江波にしてもこの中城にしてもそうした様子はない。面倒がなくていい。

俺の隣で里志が巾着袋《きんちゃくぶくろ》に手を突っ込んだ。取り出されたのは皮張りの手帳と万年筆。里志は自分が記録役に徹《てっ》することを宣言するように、手帳を開き万年筆を構える。

いきなり本題に入ってもいいが、俺たちは大して状況《じょうきょう》を把握《はあく》しているわけではない。まずは伊原が、世間話のように当たり障《さわ》りない話題を振る。

「大変でしたね先輩。脚本が仕上がらないなんて、驚《おどろ》いたでしょう」

中城は大袈裟《おおげさ》に頷く。

「全くだ。ここまでなんとかやって来たのに、こんなつまずき方をするとは思わなかった」

「撮影《さつえい》はやっぱり大変でしたか」

「演技とか演出とかはアドリブ利《き》かせて楽しくやれたが、大変だったのは移動だな。列車とバス合わせて一時間はかかる。おまけに使えるのは日曜だけ。何であんなところをロケ地に選んだんだろうな」

伊原の目が細くなった気がした。

「何でだったんですか」

「ん、ロケ地か？　見た目が面白い場所ってことで推《お》したやつがいるんだよ。確かになかなか撮《と》れない映像が撮れたと思う。そこはいいんだけど、やっぱり遠かった」

入須は二年F組の計画を杜撰《ずさん》と評したが、なるほど然《しか》り、俺だったら移動に往復二時間かかる場所なんか絶対に選定しない。

本題とは関係ないところで気になったのだろう、手帳に向かっていた顔を上げると、里志が訊《き》いた。

「楢窪地区は廃村《はいそん》だって聞きましたが、バスが通っているんですか」

「ああ、マイクロバスだ。家がホテルやってるやつがいて、送迎《そうげい》用のをまわしてくれた」

「そもそも、よく立ち入りできましたね」

「それもコネだ。あすこはまだ鉱山の管理下にあるそうだが、そこに話をつけてくれたのがいる。楢窪を使おうって言い出したやつだけどな」

「日曜日しか使えないってのは」

「楢窪そのものは廃村になったが、鉱山の施設はまだ生きてる。平日うろちょろされると仕事の邪魔だし、車も飛ばして安全が保証できないから入ってくれるな、ってことらしい。……それが、何か関係あるのか」

里志は笑った。

「ありがとうございます、勉強になりました」

気を悪くしないで下さい中城先輩。こいつはこういうやつなんで、と心で念じる。

次は千反田だった。

「脚本の方、本郷さんといいましたか。容態はどうですか」

「本郷か？　詳しい話は聞いてないが、あんまりよくもないみたいだな。まあ、あいつを責めるわけにもいかんだろうがなあ」

と眉を寄せる。まあ、入須の話が事実に沿っているとすれば二年F組はこぞって本郷を追い詰《つ》め、病気にさせてしまったようなものだ。責めるどころか詫《わ》びをいれてもいいぐらいだと思うが、当事者にしてみればなかなかそう割り切ることも難しいだろう。中城の態度は何か含むものがありそうだった。

その辺の機微《きび》を察しているのかいないのか、多分いないだろうと思うが、千反田の物腰《ものごし》はあくまでやわらかだった。

「本郷さんという方、神経が細やかだったんですね」

中城の眉が形作る角度が、より急になった。低く、ううむ、と唸《うな》る。

「そんな風には見えなかったがな。神経が、というより体そのものがっていうんならわかるが」

「体が細やかだったんですか」

どういう形容だそれは。俺は思わず横から口を出す。

「丈夫《じょうぶ》じゃなかったってことだろう」

「そうだ。学校を休むことも何度かあったし、撮影にも出てこなかったし」

撮影に出てこなかった、というところをいくらか恨《うら》みがましく中城は言った。しかし合理的に考えれば、脚本役が撮影に付き合う必要はないだろう。脚本の進みが思わしくないなら尚更《なおさら》だ、撮影に付いて行かずに本郷が何をしていたのかは想像に難《かた》くない。……脚本を書いていたのだ。

少し気になった。俺も一つ訊いてみる。

「本郷先輩の脚本は、クラスの人たちには評判が悪かったんですか」

するとは中城は、憤慨《ふんがい》するような様子さえみせた。

「誰もケチをつけたりしなかった。あいつを責めたことなんかなかったぞ」

「ということは、内心はそうしたかった？」

「馬鹿な、何が言いたいんだ。本郷の仕事が大したものだってことは、全員が認めていたさ。もちろん、おれもだ」

なのに本郷は仕事を仕上げられずに体を壊《こわ》した。なら、千反田の言う通り神経が細やかで、細やか過ぎたのかもしれない。

気まずくなった場を取りつくろうように、伊原が小さく咳払《せきばら》いする。

「それでですね、先輩」

「ああ」

「その脚本の人、誰が犯人役かってこと、ちょっとでも言ってませんでしたか。トリックのことは言ってなくても、役どころぐらいなら」

一気に詰みを狙《ねら》う大胆な質問だ。それがわかれば確かに話はぐっと簡単になるし、俺たちがオブザーバーをする必要もなくなる。中城は再び腕を組んで、記憶を辿《たど》るように中空を睨《にら》んだ。

「……うーん」

「どうです」

「おれが知る限りじゃ、そういうことはなかったな。いや待てよ……。……そう言えば、鴻巣に頑張《がんば》れとか何とか言っていたような」

頑張れぐらい誰にでも言う。伊原もそう思ったのだろう、一瞬失望の色を浮かべる。しかし諦《あきら》めずにもうひと押し。

「それじゃあ、役者の人たちに聞いてくれませんか。誰かそういう話を受けていないか」

「それぐらいは、やったよ。誰も自分が犯人役だってことは聞いてなかった」

短く口を挟《はさ》んでみる。

「探偵《たんてい》役は」

「それもだ」

ふうむ。

伊原頑張る。さらに訊《き》く。

「なら、あれです。あのミステリーのトリックが物理的トリックなのか心理的トリックなのか、言ってませんでしたか」

しかし中城は、訝《いぶか》しげな表情を浮かべてこう言った。

「どう違うんだ?」

どんな反応をするかと伊原を見ると、目が合った。伊原は苛立《いらだ》ちとも諦めともつかない顔つきで、首を小さく横に振る。中城が目の前にいなければ、盛大《せいだい》な溜息《ためいき》をついていたか勢いよく悪態をついていたに違いない。

その後も俺たちはいくつかの質問を発したが、結局中城は核心《かくしん》を突くような情報を持っているわけではなさそうだった。もっとも、そんな情報があるのならなにも問題は起こらないだろうからそれは当然だろう。それに、俺たちの準備も悪かった。ろくに問題点を整理せずこの席に臨《のぞ》んだ俺たちは、事件の急所を突くような発問ができなかったのだ。省エネを主義とする俺としては大きな失策だ。やらなければいけないことは手短に、まずは問題を絞《しぼ》るのが適切な順序だった。

しかし満足そうな表情で、中城は言う。

「こんなもんかな？」

らしからぬ笑顔《えがお》で、伊原は答えた。

「他に訊くことがないという意味では、こんなもんです」

言葉のとげは両者に向けられていたのだろうと思う。

事前の情報収集はこの辺で切り上げだ。里志が指の間で万年筆を器用にくるりとまわす。それを合図にしたように、千反田が穏《おだ》やかに訊いた。

「中城さんは、どう思われますか。本郷真由さんがあのビデオ映画のことを、どう考えていたか」

本題に入ったことを察して、中城はにやりと笑う。

「よし、じゃあ聞いてもらおうか。お手柔《てやわ》らかに頼む」

熱っぽく語り出したのだ。

「是非《ぜひ》お願いします」

俺は、中城はこの時を楽しみにしていたんじゃないかと思った。唇《くちびる》を舐《な》めると、中城は実に熱っぽく語り出したのだ。

「落ちがなけりゃ撮《と》りようもないからみんな騒いでるが、おれに言わせれば見るやつはトリックなんかは気にしないさ。要はドラマがばっちり決まればそれでいい。犯人はお前だーって決め付けて、犯人が涙《なみだ》ながらに事情を語る。これで話が決まるんだ。本郷の仕事はおれにはできないが、一つだけ言うならそういう盛り上げが弱いな。誰が主人公なのかさえ、よくわからん。死ぬやつが海藤なのはよかったな。お前らも知ってるかもしれんが、海藤はあれで割と顔が広い。小道具班ご自慢《じまん》の演出で派手に死んでくれて、あれはいいぞ。やっぱり、人気のあるやつは大事に使いたい。もっとも犯人か主人公ならもっとよかったんだが、まあその辺は済んだことだしな。そういう意味じゃ、犯人は山西がいいな。あいつも結構友達が多いんだ」

…………。

「大体、うちのクラスにはこだわるやつが多すぎたよ。ミステリーだからこうだ、ミステリーはそんなもんじゃないって、何か勘違《かんちが》いしてるんじゃないか。ビデオ映画は長くても一時間まででだ、全部の要素を念入りに撮ってる時間はないんだよ。撮ったところで、お前らも見ただろう、あのスクリーンに映したら細かいところは潰《つぶ》れるんだ。それよりはやっぱりドラマだろ。

タイトルもストレートに『古丘廃村《はいそん》殺人事件』とでもして、客を呼べるようにしないと。本郷だってその辺のことはわかっていたさ」

なんというか。俺は中城の話を半ば呆然《ぼうぜん》と聞いていた。俺は推理小説の愛好家じゃない。暇《ひま》つぶしに安手の文庫本を買って読むことはよくあるしその中にはミステリーと銘打《めいう》たれたものもあるが、それだけのことだ。しかしそれでも、客はトリックを気にしないと言い切る中城の姿勢は奇妙《きみょう》に思える。

……だが少し考えてみれば、どうだろう。二年F組のビデオ映画が完成したとして、それを見に来るのはどういう人間だろうか。

それは確かに探偵小説研究会の連中もいるだろうが、ほとんどは推理小説など読んだこともないやつじゃないか。根拠《こんきょ》のない話じゃない、壁新聞部発行の神山月報に以前、全校アンケートに基《もと》づいて書かれた「神高生の識字率」という冗談企画が載《の》ったことがある。里志がやたら喜んで読んでいたので憶えているのだが、過去一年間で「小説」を一冊でも読んだことがある神高生は四割程度だったのだ。更《さら》にその中で何割が、推理小説の、それもトリックに注目した読み方をしているのか。

その辺を考え合わせれば、中城の主張も故《ゆえ》なしと言えないのかもしれない。

腕ばかりか足まで組んで、中城は続ける。

「けどまあ、展開上、犯人がどうやって海藤を殺したのかは撮っておかないとな。盛り上がりにも欠ける。それで入須がわざわざお前らに頼んだんだが。……ああそうか、お前らはミステリーが好きなんだったな。悪いな、別に悪気はないんだ。ただおれはなんとかあの映画を仕上げたいと思っているだけで」

だからそこに誤解があるのだが、つまり俺たちは古典部であって探偵《たんてい》小説研究会じゃないのだが……、まあ解かねばならない誤解でもない。

中城の口調はさらに熱を帯びてくる。

「あの脚本は、要するにあれだろ、密室ってやつだ。海藤が死んでた部屋は他に出口のない部屋でした、さて犯人はどうやって海藤を殺したんでしょうってのが問題だ。だったら簡単だ。犯人はただ一つ空いていた出口から出たんだよ」

眉を寄せて、伊原が訊《き》いた。

「どこのことです？」

中城は笑う。

「鈍いやつだな。窓に決まってるじゃないか」

……窓？

俺は昨日見たビデオ映画を思い出そうとする。断片《だんぺん》的なシーンは記憶に残っているのだが、そして皮肉なことにそうした記憶に残ったシーンは中城の言った通りドラマ的な部分だったのだが、現場の間取りがどうもよく思い出せない。

仕方ない。俺は言った。

「里志、見取図を」

里志は嬉《うれ》しそうに、敬礼のポーズを取る。

「イエス、サー！　だ。ちょっと待って」

巾着袋《きんちゃくぶくろ》に手を突っ込むと、一枚のコピーを出してくる。例の、劇場見取図を簡単に写したものだ。

それに拠《よ》れば、海藤が死んでいたのは上手袖《かみてそで》。劇中で登場人物たちは、右通路からここに入った。その時、扉《とびら》に鍵《かぎ》がかかっていて誰かがマスターキーを取りに戻ったのは俺も憶えている。つまり右通路から見れば上手袖は密室だった。

そしてそれから、そうだ。勝田が舞台を駆け抜け、下手袖に入った。左通路から舞台を通れば上手袖に入ることができるからだろう。そして下手袖に入ると、扉は積まれた角材で塞《ふさ》がれていた。確かそうだった。

…………。

そもそも、あの現場が密室だったという中城の言葉そのものが怪しいのだが。

純粋な密室なんかあり得ない、なぜなら密室なら殺人が起きるはずがないからだ、などと言いたい訳じゃない。映像からではわかりにくかったが、見取図を見れば一目瞭然《いちもくりょうぜん》。窓を除いても、もう一つ出入口があるじゃないか。

その場所、ホール出入口を指す。

「ここは、どうなっているんです」

中城はあっさりと言った。

「開かない」

「……？」

「打ち付けられてるんだ。がっちりと。だからそこはないものと思ってくれていいぞ」

言葉もなかった。視界の端《はし》に、あからさまにあきれた表情の伊原が見えた。俺もそんな顔をしていたかもしれない。そんな話は聞いてない！

昨日入須は、脚本の本郷がフェアな出題をしたことを保証した。しかし思い出してみればそうだ、撮影班《さつえいはん》がフェアな映像を撮《と》ったとまでは言わなかった。言わなかったが……。脱力感を感じた俺の隣で、里志が微笑《びしょう》を浮かべたままホール出入口にバツ印を打つ。

ともかく、ホール出入口が使えないのなら密室の出口は四つ。上手袖のドアと窓、下手袖のドアと窓だ。このうち、ドアについては両方とも塞がっていた。残るは窓二つ。

「窓というと……。どちらの窓のことですか」

伊原が問うと、中城はふんと鼻を鳴らした。

「もちろん、こっちのだよ」

「上手袖のほうですね。もちろんとは？」

「決まってる。下手袖の窓は衣装箪笥《いしょうだんす》の後ろで使えないからな」

さいですか。里志はやっぱり微笑《ほほえ》んだまま下手袖の窓にもバツを打つ。

こんなペースでは徒労だ。俺はエネルギー消費の無意味に大きな状態、つまり徒労を何より嫌う。だからもうまとめて訊くことにした。

「先輩。どうもあの映像ははっきりしないところが多くて、当然それはスクリーンの性能が低いからだと思うんですが、いまの二箇所《かしょ》以外に使えない出入口があるなら教えてくれませんか。密室に関係があるかないかは置いておいて、とりあえず全部です」

「そうか？　他にあったかな」

中城はそう応じると少し考えた。

「……そうだ。左通路の奥の控室《ひかえしつ》は実際には入れないんだ。ドアノブが壊《こわ》れてて、鍵が入らなかった。それから建物の北に面した方……、だからこの見取図だと左側通路に面した窓は、全部雪の対策で板が打ち付けられていたな。剝《は》がせないこともなかったが」

「それだけですか。本当に？」

「ああ。これだけだ」

中城ははっきり請《う》け合った。

どうにも疑わしいが、信用は財産だ。そういうものと考えておこう。と、ここまで物静かだった千反田が訊いた。

「そういう事実は、本郷さんも知っていたんですか。撮影には同行しなかったそうですが……」

そうか、確かにそれは重要だ。本郷が劇場の状態を知らずに見取図だけを元に脚本を書いたとすれば、実際は使えないルートが使われていることもあり得るわけで。

対する中城の答えは、その心配を消してくれた。

「楢窪が舞台になることが決まって脚本が本郷に決まると、一回下見に行ったみたいだったぞ」

「それは、いつ頃ですか」

「そうだな、六月……、いや、五月の終わり頃」

「話の腰を折ってすみませんでした。先をお願いします」

頷《うなず》いて、中城は話を進める。真剣そのものだ。

「つまり犯人役は上手袖の窓から入って、出たんだよ。こうすればドアを通らずに海藤を殺すシーンが撮れるだろ。どうだ？」

どうだ、って。

犯人はドアを通りませんでした。実は窓を通っていたのです。……か？

「ああ、なるほど！」

と膝《ひざ》を打ったのは千反田一人。

だが俺は、熱意溢《あふ》れる中城に異を唱えられない。代わりに言ったのは、こういう場面では頼りになる、伊原だ。

「中城先輩、でもそれはちょっとミステリとして出来が悪すぎます」

はっきり言われて中城はむっとした表情になったが、声を荒らげることはなかった。

「お前らから見ればそうかもしれんが、他にどんなルートがあるっていうんだ。それに……、そうだ、お前らは本郷のことを知らんだろう。本郷は別にミステリーの玄人《くろうと》じゃない。あいつも別に立派なトリックを用意しようなんて考えなかったさ」

本郷のことを知らないだろう、と言われれば確かに弱い。が、これでは……。本来なら黙って話を聞いていればいいようなものだが、俺もつい雰囲気《ふんいき》に釣《つ》られてしまう。

「で、先輩。それで犯人が特定できるんですか」

「特定?」

「本郷先輩がそのトリックを用意していたとして、犯人は誰になるのか、ってことです」

答えは用意されていなかったらしい、中城はまた腕を組んで考え込む。そこに、自信ありげに伊原が追い打ちをかけた。

「それに、あれでしょ。事件現場に全員が踏み込んだ後、その窓の外が映されたじゃないですか」

「ああ」

「あの映像を見れば、窓の外に人が通った跡《あと》がないことははっきりしてます。中城先輩の方法は、無理です」

事件現場の窓の外……。

思い出した。背丈《せたけ》ほどもある夏草がぼうぼうに生《お》い茂《しげ》っていたシーンだ。なるほど、もしあそこを人が通ったとすれば、草が折れるなりの痕跡《こんせき》が残らずにはいないはずだ。

どうもぴんと来ないらしい中城に、伊原がそのことを説明する。しかし中城はしぶとかった。

「だがそんなことは問題にならんぞ」

ほう。

伊原の代わりに、俺が反論を受けて立つ。

「どうしてです。かなりはっきりしていると思いますがね」

「本郷がト書きの指示を書き忘れたのかもしれない」

「……それを言ったら、おしまいだと思います。伊原の言ったのは、言いかえれば犯人の足跡がないってことです。本郷先輩はそんなことを書き落とすほど間抜けだったんですかね。他にもト書きの落ちてるところは多かったんですか」

中城はうんと唸《うな》る。

しかし、驚くべき粘《ねば》り強さといえるだろう。はっと思いついたように中城は顔を上げると、声を大きくした。

「そうだ、夏草だ！」

「……夏草が何か？」

再び自信を取り戻したような表情で、勢い込んで中城は言う。

「お前らが窓を使わなかったっていうのは、あの外に生えている夏草が折れてなかったからだろう？」

慎重《しんちょう》に、伊原が頷く。

「だからそれが勘違《かんちが》いなんだよ。さっきも言ったろう、本郷が檜窪に下見に行ったのは五月の終わり頃だって。その頃はまだ夏草は茂ってなかったんだ、だから本郷は窓を使えると思い込んだんだよ」

へえ、という感嘆《かんたん》の声が里志から漏《も》れる。中城が気の置けない相手なら里志はこう言っていただろう。はじめて気の利《き》いたことを言ったね、と。伊原は反論しようとしたがとっさに言葉が出ないらしい。俺は心中で笑っていた。なかなか上手い、と。本郷が下見に訪《おとず》れた時想定していた犯人の脱出《だっしゅつ》ルートは、実際の撮影《さつえい》の時には使用不可能になっていた、か。

上手いが、しかし……。

俺たちの無言を納得と取ったのか、中城はなおも畳《たた》み掛《か》ける。

「だからさ。次回の撮影の時に夏草を刈《か》り込んで、死体発見のシーンから始めれば上手く撮《と》れる。そうだ、どうしてこんなことに今まで気づかなかったんだろう？　これでできるぞ、やれる！」

傍目《はため》にも中城は舞い上がっていた。……俺は、反駁《はんばく》をやめることにする。いまそれをするのは浪費《ろうひ》と思ったからだ。

話が一段落したのを見て取った千反田が、にこりと中城に微笑《ほほえ》みかけた。

「いろいろお聞かせくださって、ありがとうございます。入須さんにいい報告ができそうです」

中城は、さも満足そうに頷《うなず》いた。ひょっとしたらこの後、早速自前で脚本を書き始めかねない鼻息の荒さだった。


数分後。地学講義室。

ぬー、とでも書けばいいのだろうか、実に表記しづらい声で伊原が呻《うめ》いた。

「あれでいいの？　あれで通っちゃうの？」

どうやら中城の予想外の反撃《はんげき》に混乱しているらしい。あのトリック、というかなんというかトリックに準ずるものは認めがたいが、さりとて夏草に関する意見は筋が通っている。僅《わず》かな隙《すき》にも鋭《するど》く切り込む伊原としては、欲求不満なところだろう。

「物理的には充分《じゅうぶん》に実行可能だしねぇ」

と呟《つぶや》く里志もどこか不満そう。

そして千反田はといえば。

「…………」

さっきから俺にちらちらと視線を向けてくる。どうにも気になるのでこっちから声をかけてみる。

「なんだ千反田」

「あ、はい」

千反田は少し迷ったようだが、結局言った。

「折木さん。さっきの中城さんのお話が、本郷さんの真意だったと思いますか？」

「……俺の前に、お前はどうなんだ」

そう返されて千反田は、実に言いにくそうに口ごもる。が、これほど態度で心境がわかるやつも珍しい。千反田は表情を大きく崩《くず》すことはないが、それでもその目や口元は雄弁《ゆうべん》なのだ。

俺は言ってやった。

「気に入らないんだろう」

「気に入らないなんてそんな！　ただ……、ちょっと、納得できないだけです」

要するに気に入らないんじゃないか。

中城の態度はある種、立派だった。自分がこうだと思うところを堂々と主張して譲《ゆず》らず、解《かい》釈《しゃく》を重ねて俺たちの反論を封じるところまでいってしまった。しかし、どれだけ中城の熱意が大したものでも、納得できないものは納得できないし気に入らないものは気に入らないのだ。

中城を真似《まね》るつもりはないが、俺は腕を組んだ。

「まあ、無理もない。中城のあれは、成立しないだろうからな。その辺が無意識のうちに違和《いわ》感になってるんじゃないか」

この言葉に反応したのは、千反田よりむしろ伊原だった。伊原は噛《か》みつくように、

「成立しない？　矛盾《むじゅん》があったの、折木！」

と詰《つ》め寄ってくる。そんなに中城案を潰《つぶ》したいのか……。

俺は里志に手招きする。里志は俺の言わんとすることを察し、見取図を放り投げてくれた。それを机に広げ、千反田と伊原によく見えるようにする。

俺はせいぜい普通の調子で言う。

「中城案は実に簡単で、あのビデオ映画をミステリーと見るのが馬鹿馬鹿しくなるようなものだ。その単純さ故《ゆえ》に、物理的に崩すのは難しかろうさ。伊原、お前、あれを物理的に不可能だと言おうとしたから言葉に詰まったんだろう」

無言の仏頂面《ぶっちょうづら》は肯定《こうてい》の証《あかし》か。

一方千反田は興味津々《きょうみしんしん》といった態《てい》で身を乗り出してくる。俺はそっと自分の椅子を後ろに下げる。

「というと、他の面から見ると不可能と？」

「不可能とは言わないが……。伊原が中城に訊《き》いたことを憶えているか？　確か、本郷があのミステリーがどういうトリックか言ってなかったか、と訊いていたが」

はっきりと千反田は頷く。

「憶えています。『あのミステリーのトリックが物理的トリックなのか心理的トリックなのか、言ってませんでしたか』と」

「それだ。つまりごく簡単な物理的解決は、ごく簡単な心理的側面から否定されるってこと」

そう言うと、里志が突然笑い出した。

「ははは、随分《ずいぶん》まわりくどい言い方だねホータロー。実に『探偵役《たんてい》』らしいよ！」

俺がそれを望んでないことを知っているくせに、全く性質《たち》の悪いやつだ。が、確かにまわりくどい言いまわしだったかもしれない。そこは素直に反省し、率直《そっちょく》に言い直す。

「つまりだな。犯人の気持ちになってみれば、とても窓からなんて入れないってことだよ」

見取図の、事件現場を指す。正確にはその窓を。

「あの登場人物の誰かがこの窓から侵入《しんにゅう》するためには、必然的に劇場の外を通らなければいけない。が……。

昼日中、劇場中に隈《くま》なく同級生が散っている状況で、そんなことはできんさ。見ればわかるが、どの部屋から事件現場に向かうにしても、必ず誰かの視界を通らなければいけない。足音だって、する。俺ならそんな危険は冒《おか》せない」

「ふうむ」

　里志があごを撫《な》でた。

「なるほどね。確かに僕が実地に殺人を犯《おか》すとなったら、人目に我が身を晒《さら》すような中城案はとても採れない。夜ならともかく、昼だしねえ。ちょっと物理的可能性だけに目が行きすぎたかな」

「まあ、そういうことだ」

　そう話を締《し》めくくると、千反田がほうと溜息《ためいき》をついた。

「わかりました。わたしがどうも納得《なっとく》がいかなかったのはきっと、中城さんの意見が実行に移されたときの映像を想像していたからだと思います。海藤さんの居場所に忍《しの》び寄る頭上では、誰かが部屋にいるんですから、これはおかしいです」

　しかしそれでも釈然《しゃくぜん》としない表情の者もいる。伊原だ。

「確かにそれは折木の言う通りかも知れないけど、本郷先輩がそこに気がついたかどうかはわかんないよね」

　それもそうなのだ。その本郷に話が聞ければ全ては一瞬で解決なのだが……。まあ、それができないから俺たちにまでお鉢《はち》がまわってきたんだろうけれど。が、だからといって放置しておくわけにもいかないだろう。

「本郷がどこまで気がまわったかは、俺たちにはわからん。が、そいつも間接的には知れようさ」

そこまで言ったところで、地学講義室に客が入ってきた。「案内役」江波だ。江波は教室の入口から中に入ろうともしなかった。

「どうでした、成果は」

皮肉に笑って、里志が答える。

「やり方がわかったよ」

「つまり？」

「中城先輩の案は却下《きやっか》だ」

江波は、そうですか、と呟《つぶや》いてさほど無念そうでもなかったが、千反田は深く頭を下げた。

「すみません」

「いえ、あなた方のせいではありません。……では明日、二人目を用意しておきます」

明日。明日もやるのか……。俺の夏休みが……。

聞くだけのことを聞いて言うだけのことを言って、それだけで江波は去ろうとする。俺はその背中に声をかけた。江波は立ち止まり、訝《いぶか》しげに振り返る。

「何か？」

どうも冷たい感じだ。が、敢《あ》えて気にしないことにする。

「脚本が手に入りませんか。実際の撮影《さつえい》に使ったものを」

江波は品定めをするように俺を見た。

「ビデオを実際に見た上で、それでも必要なんですか」

「ええ、まあ。……本郷先輩の注意力を知りたいんです」

小さく頷《うなず》いて、江波は用意すると言ってくれた。

それからもしばらく俺たちは中城を肴《さかな》に会話を続けたが、話題は既にその解決案から離れていた。中城の懸命《けんめい》さは、結果はどうあれ俺たちに印象を残したものと見えて、もっぱらその辺りのことを取りとめもなく俺たちは話した。

俺の印象を一つ紹介するならば、入須の「必要な技術のない人間にはいい仕事はできない」という言葉が中城には実に似合ったということだ。

三　『不可視の侵入』

翌日。

前の日に俺が行動したがらなかったことを踏まえてか、朝のうちに千反田から電話があった。必ず来るようにとの部長命令を、至極柔《しごくやわ》らかに包み込んだそのお言葉に逆らうだけの積極的理由もなく、結局俺はその日も学校へと出向くこととなる。まあ、乗りかかった船から途中下船するのは何かと大変だろう。もう俺にそのつもりはなかった。

家を出るとき、郵便受けに国際郵便が入っているのに気づいた。俺宛《あ》てではなく、親父《おやじ》宛てになっていたので、手をつけない。誰からのものかは見なくてもわかる。折木供恵《ともえ》、俺の姉貴からだ。

俺の姉貴は日本をまたにかけるだけでは飽《あ》き足らず、世界をほっつき歩いている。今頃は東欧《とうおう》だ。姉貴はしばしば、俺に厄介事《やっかいごと》を持ち込んでくる。しかもそれは、「千反田が厄介事を持ち込んできた」とはまた意味の異《こと》なる、もう少しメタなレベルの厄介事なのだ。しかし今回の郵便は俺宛てではない。よって俺は姉貴に振りまわされず、心置きなく千反田に振りまわされることができるというわけだ。実にめでたい。

……めでたくない。

そんなわけで地学講義室。

江波が来るまでは、何をするでもない。相変わらずの夏の暑さの中で日陰《ひかげ》の席に陣取《じんど》り、百円均一で仕入れたペーパーバックを斜《なな》め読みする。目下ミステリー映画に煩《わずら》わされていること
もあって推理小説を読む気にはならず、それ以外のものを適当に新古書店で選んできたものだ。

教室の反対側、窓際《まどぎわ》では陽《ひ》にあぶられることも厭《いと》わず千反田がグラウンドを見下ろしている。

千反田は暑さに強い。またどれだけ陽に当たってもなぜか日焼けをしない……、ように見える。

じっとグラウンドを、正確にはそこで行われている文化祭への準備を見ているので何か厄介事でも見つけたのかと思ったが、特に好奇に目を輝《かがや》かせているわけではなさそう。つまりこいつも手持ち無沙汰《ぶさた》なのだ。

手持ち無沙汰でないのは伊原だ。文集『氷菓』作成の実質責任者になっている伊原は、この時間もノートを取り出して書き物をしている。やつにさっき、原稿《げんこう》は仕上がっているはずなのに何をまだそんなに書くことがあるのかと聞いたら、物凄《ものすご》い目で睨《にら》まれた。曰《いわ》く、

「原稿だけで文集ができるんなら編集はいらないでしょ！」

とのこと。ご苦労さまです。

そして里志はといえば、俺と同じく文庫本を手に取っている。ブックカバーがかけられてい

るので内容はわからない。微笑《ほほえ》みが基本表情の里志だが、本を読むときはさすがに笑いながら読んだりはしない。さりとて無表情の里志というのもこれはこれでおかしなものだ。

と思ったら、突然その表情に緩《ゆる》みが戻った。文庫を伏せ、顔を上げたかと思うとぐるりを見まわす。

「ところでみんな、探偵《たんてい》小説はどれぐらい読んでるのかな」

その問いかけに伊原は手を止め、肩をまわしながら訊《き》き返した。

「ふくちゃん、何でそんなことを？」

「うん、昨日の中城先輩の話を聞いていて思ったんだ。これはなかなか、一口に探偵小説といっても捉《とら》え方が違うぞ、ってね。だから僕らの探偵小説観っていうか、そういうものの差をいっぺん確かめておきたくって」

ふむ。確かに中城の捉え方は俺にとっては斬新《ざんしん》なものだった。一晩経って思えば、あれはテレビの二時間ドラマ的な感覚だったのかも知れない。そういうズレに里志が興味を覚えるのは不思議なことではない。

「ふうん、でもわたしは、普通よ」

「その普通が僕らの間で違いそうだから訊いてるんじゃないか」

里志が笑って言うと、それもそうだと思ったのか伊原も苦笑《くしよう》する。

「普通っていうか、うーん、普通だと思うけどね。クリスティーからクイーン、それとカー」

それが普通、なのか？　名前ぐらいは知っているが……。里志も首を捻《ひね》っている。

「普通というより、王道なのかな。むしろ古典か、古典部には相応《ふさわ》しいじゃないか。……それだけ？　日本のは？」

「言われてみると、あんまり読んでないかも。鉄道ものをちょっとだけ、かな。ミステリそのものは割と好きなんだけど、好きになれない作家が多いのよね」

読み慣れているようじゃないか。道理で今回の二年F組の「ミステリー」にも興味を示すはずだ。多分、この四人の中では伊原が一番推理小説を読んでいるだろう。

「ホータローは？」

訊かれ、手の文庫本を閉じないまま答える。

「俺はそんなに読まない」

「特に探偵小説が、って意識したことがないのかな。ホータローは割と読み方に節操がないもんね」

ほっとけ。

「黄色い背表紙の文庫を幾《いく》つか読んだことがある。その程度だな」

真面目《まじめ》に答える気がなかったので適当な言い方をしたが、

「ははぁ……。とすると、日本人作家だね。割と固いところだ」

即座《そくざ》に返ってきた。どうやらこれで通じたらしい。相も変わらず里志の知識は無意味に幅広《はばひろ》い。

里志の視線が千反田に向くと、千反田はゆるゆると首を横に振った。

「わたしは、読みません」

「え」

意外そうな声。俺もどっちかといえば意外だった。千反田の、どんな下らないことからでも謎を見つけ出してくる性質《たち》から思えば、推理小説はやつの好みなんじゃないかと思っていたからだ。里志は念を押す。

「全く、全然？」

「わたしはあまりミステリーを楽しめないのかもしれない、と思うぐらいまでは読みました。ここ何年かは全く触れていないですね」

ただ読んだことがないのではなく、読んだ上で拒否《きよひ》しているらしい。毎日を推理小説風に変えてしまうお嬢様《じようさま》は、推理小説が苦手、か。随分《ずいぶん》逆説的だな。ビジネス小説の嫌いなビジネスマン、みたいなものか。そう考えれば、さほどおかしなことでもないかもしれないが。

そこに伊原が不思議そうに言った。

「そうなの？　でもちーちゃん、二年F組のミステリー映画を見るの、楽しみにしてたみたいだったじゃない」

千反田は小さく笑う。

「入須さんたちが作ったものを拝見するのが楽しみだったんです。……ミステリー映画を楽しみにしていたわけでは、ありません」

なるほど。筋は通っている。

さて、残るは一人だ。順番は守らないといけない。一人で納得したようにしきりと頷《うなず》く里志に、俺は訊いた。

「それで、お前はどうなんだ」

「僕かい」

「古今東西の名探偵を網羅《もうら》してるか？」

そう冗談めかすと、里志ははっきりと否定した。

「いや」

ん？

伊原がなんだかくちびるの端《はし》で笑っているような。

「わたし知ってるわよ、ふくちゃんの趣味ぐらい」

言われて里志は照れくさそうに俯《うつむ》く。その様子は千反田の興味を誘ったらしい。

「え、なんなんですか。福部さん、秘密じゃないんでしょう？」

ちなみにここで里志が秘密だといえば千反田は絶対にそれ以上の追及《ついきゅう》はしない。これも経験則からわかってきたことだが、お嬢様の好奇心にはきちんと節度があるのだ。

一方、里志は妙に口ごもる。

「まあね、僕は……」

なんだ、気を持たせるな。

が、その脇から伊原がさっさとネタを割ってしまう。

「ふくちゃんはシャーロッキアンに憧《あこが》れてるのよね！」

……ああ。それは納得だ。

シャーロッキアンとは要するに、シャーロック・ホームズの熱心な、とても熱心なファンのこと。詳しいことは知らないが、ホームズの相方が飼っていたブルドッグの末路を真剣に研究したりすると聞いている。稚気《ちき》と遊び心がなければやっていけない趣味だろうが、まあ里志にはその両方があるだろう。

「なんですか、シャーロッキアンって」

「うん、あのね」

知らないらしい千反田に伊原が説明する傍《かたわ》ら、里志は小声で訂正《ていせい》した。

「憧れるのはシャーロッキアンじゃなくってホームジストなんだけど……」

さてはて、どう違うのやら。

里志の話に付き合っているうちに、江波がやって来た。入口に立って、今日もよろしくお願

いします、と頭を下げる。それから、

「申し訳ないんですが空き教室を確保できませんでした。ちょっと散らかっていますが、二年F組教室でお願いします」

とさほど申し訳ないとも思っていなさそうに断ってきた。

「それじゃ行こうか。判定会議の第二回だ」

殊更《ことさら》に明るい里志の言葉を合図に、ぞろぞろと地学講義室を出る。漫然《まんぜん》と、判定会議なら向こうから出向いてくれてもよさそうなもんだが、などと思う。

今日も校舎は各部活の部員で盛況《せいきょう》、廊下に響く琴《こと》の音は和楽部の音合わせか。どこかで聴《き》いたことがあると思ったら、なんのことはない水戸黄門《みとこうもん》なのだ。雅《みやび》なのか、そうでもないのか。

歩きながら江波は、昨日訊《き》かれたことをあらかじめ説明し始める。

「今日会ってもらうのは、羽場智博《はばともひろ》。小道具班の一人です」

里志に視線を向けると、やつは首を横に振った。羽場氏も著名人ではないらしい。昨日は撮《さつ》影《えい》班の人間で今日は小道具班のということは、なんだか明日もありそうな雰囲気《ふんいき》だな。江波は前を向いたまま、粛々《しゅくしゅく》と進める。

「特に役付きではないですが、でしゃば……、積極的に動いてくれるのでいろいろと細かいことも知っていると思います。他に、何か訊きたいことはありますか」

細かいところに気のつく伊原が訊いた。

「あの。その羽場先輩がでしゃば……、積極的に動く人なら、どうして役者になっていないんですか」

ははは、なるほど。そういうタイプの人間なら確かに、画面で立ちまわりたがりそうなもんだが。江波は伊原をちらりと振り向くと、小さく頷いた。

「なろうとしました」

「じゃあ」

「多数決で落とされたんです」

それもまた、なるほどだ。が。俺はつい口出しをした。

「そういうやつをどうして引き合わせようとする？」

でしゃば……、積極的に動くと評される人間が、俺たちのような部外者の判断を素直に受け入れるだろうか。と、江波が珍しく表情らしい表情をみせた。困っているようだ。

「わたしも適任じゃないと思いますが……。入須の人選です。きっと理由があってのことでしょう。強《し》いて言うなら、そう、スタッフの中では一番ミステリーに詳しいことが理由かもしれません。もっともそれも自称ですが」

フォローしようとして、しきれていないのが微笑《ほほえ》ましい。

しかしまあ、「女帝《じょてい》」入須の人員配置の巧《たく》みさは里志が散々強調したところだ。そいつを信じるなら、江波の言うようにきっと理由があるのだろう。もともと入須に引きずり込まれて関わった今回の一件だ、その戦略を疑っていても始まるまい。俺がそんなことを考えていると、里志がどこか不満を滲《にじ》ませた。

「その入須先輩だけど、どこでなにをしているんだい。全然顔を出さないじゃないか」

言われてみれば、そうだな。一昨日《おととい》の試写会以来見ていない。だが江波は、それにはすんなりと答える。

「あなた方が『正解』を見出《みいだ》したとき、それを脚本に仕上げられる人間を探しています。こちらもなかなか難航しているようです」

渡り廊下を渡る。特別棟《とう》から一般棟へ。

二年F組教室が見えてくる頃になって、千反田がおもむろに口を開いた。

「江波さん」

「何か」

「江波さんは本郷さんとは親しかったんですか」

その問いに江波は暫時《ざんじ》、戸惑《とまど》いを見せた。動揺《どうよう》というほどでもないが、言葉がどこかひっかかる感じになる。

「……どうしてそんなことを」

「なんでもないことです」

千反田は江波の背中に微笑みかける。

「ただ、あの脚本を書かれたのがどのような方だったのか、気になるだけです。とても真面目《まじめ》な方だったみたいですね」

俺たちは二年F組教室の前まで来た。江波は足を止め、振り返ると、少し口早になっていた。

「本郷は生《き》真面目で、注意深く、責任感が強く馬鹿みたいに優しく、脆《もろ》い、わたしの親友です。けど、こんな言葉で説明して何がわかりますか。……さあ、羽場が待っています。どうぞよろしくお願いします」

そしてそのまま背を向けると、俺たちと羽場を引き合わせることもせず、さっさと歩み去ってしまったのだ。

ちょっと散らかっていますがという江波の言葉通り、二年F組教室にはモノが散乱していた。ビデオ映画に登場したリュックと、これはあまり登場していないがその中身が教室の端《はし》にまとめて置かれている。黒板には乱雑な字でタイムスケジュールらしきものが書き込まれ、それらに被《かぶ》せるように黄色いチョークで「次の日曜＝絶対究極最終ライン！」と大書されていた。机も椅子も大いに乱れていて、このクラスのプロジェクトが直面している危機感というものを俺は初めて感じたように思う。さては羽場との会合場所がここになったのは、俺たちにそう思わせるための入須の策略なのではないかとあらぬ疑いを持ったほど、この教室の雰囲気は荒《すさ》んでいた。

その教室の隅、陽光の届かぬところに、男子生徒が座っていた。眼鏡をかけ、中肉中背というには少し細身の男だ。彼は俺たちが入ってきたのを見ると、芝居《しばい》がかった調子で手を上げてみせた。

「君らが入須の頼んだオブザーバーか。羽場智博だ、よろしく」

まず千反田が名乗り、昨日中城に対してしたのと同じように順々に自己紹介。羽場は俺たちの名前を頭に刻み込もうとでもいうように何度か繰り返し、その後で俺たちに椅子を勧《すす》めた。

羽場は、普段の羽場がどういう態度なのかは知らないが、上機嫌《じょうきげん》に見えた。満足そうな表情で席についた俺たちを見て、頷《うなず》く。

「ミステリーの話ができるんだってね、君ら。このクラスにはなかなかそういうやつがいなくてね」

どうも二年F組のお歴々には少々偏《かたよ》った情報が流れているようだ。その辺の認識《にんしき》の誤りはさすがの千反田も気になったのか、そっと言う。

「わたしたちは古典部です」

すると羽場は目を剝《む》いた。

「そうか、古典の方なのか。すると黄金時代のを読んだりしてるのか？　参ったな、そんなななのか」

どうもずれている。まあ、活動目的不明の団体である古典部は古典ミステリーを扱《あつか》ってもあながち間違いではないが。

羽場はなおも参ったなあなどと呟《つぶや》きながら、A4判のコピーを取り出し、自分の前の机に置いた。見ればそれは、映画の舞台になった劇場の詳細《しょうさい》な見取図だ。各部屋の正式な名前や窓の位置、途中でかすれていて「中村青」までしか読めないが設計士の名前まで載《の》っている。塞《ふさ》がっていて使えない出入口にも、ちゃんと印が打ってあった。

思わずといった感じで里志が声を上げた。

「先輩、これは!」

「ん? なんだ、君らもしかして、これ貰《もら》っていないのか」

無言で、手書きの見取図を差し出す里志。それを見て、羽場は唸《うな》る。

「……まあ、これでも問題はないだろうけどな」

「あの、この見取図は?」

問う伊原に答えて羽場は、

「一応あの劇場は古丘町立の建物だから、町役場に見取図が残っていたんだとさ。これがあれば劇中の位置関係は把握《はあく》できる。こいつを使って、推理を進めていったんだ」

と笑った。

羽場の見取図は、死体の位置はもちろん、各キャストの位置まで細かく書き込まれている。まあ張り切るのは構わないが、というか、俺としては望ましいことだが。羽場はなおも機嫌よく付け加える。

「ま、ミステリーを作家と読者の勝負と考えるなら、相手がアマチュアもいいところの本郷というのはちょっと物足りないけどな」

随分《ずいぶん》と自信がありそうじゃないか。その横顔に、千反田が尋《たず》ねる。

「本郷さんは、ミステリーに詳しくなかったそうですね」

「ああ。この映画を始めるまでは読んだこともなかったそうだ」

「でも、物語には触れていた」

羽場は口の端《はし》を上げた。

「メロウなやつばかりだったみたいだ。ほら、そこに一夜漬《いちやづ》けの跡があるぞ」

あごで教室の一角を指す。そこには本が数冊積まれていた。サイズから見てほとんどが文庫本のようだ。千反田が腰を浮かせた。

「あの、あれを拝見させていただいてもいいですか」

妙《みょう》なところを気にする千反田に、羽場は当惑《とうわく》したようだ。そんなもの何になるのだろうとは俺も思うが、お嬢様《じょうさま》の好奇心が何に向けられるのか読めないのはいつものことだ。千反田は答えを待たず、席を立ってその本を持ってくる。

見取図の脇に積まれた本の山を見て、里志が奇妙《きみょう》な声を出した。

「わぁ、延原《のぶはら》訳だ。……それも新装版」

それは、さっき話に出たばかりのシャーロック・ホームズだった。エンボス加工の施《ほどこ》されたカバーは手がかかっていて見栄《みば》えがする。輝《かがや》くような表紙の白が、このシャーロック・ホームズが買われてから間もないことを物語っていた。それを横目に、伊原は冷めた調子だった。

「ホームズでミステリを勉強しようとしたの？」

それを受けて羽場は、

「そうなんだ。だから素人《しろうと》だっていうんだよ」

と言い放つ。……ホームズを読むのは素人だってか。随分大胆なご意見だな。ましてこの場には、シャーロッキアン（だったかホームジストだったか）に憧《あこが》れる里志もいるってのに。しかしその当の里志は平気な顔で笑っている。

「そうとも言えましょうね」

ふむ。

本の山の一番上を取り、千反田はページを繰った。早めに本題を片付けたいのだが……。そんな俺の気持ちを知ってか知らずか、まあ知らずだろうが、千反田はふと手を止めてページを凝視《ぎょうし》した。

「あら」

「どうした」

「変わった印がしてあります。ほら」

ページを開いて見せてくれた。見るともなしに視線を向けると、それは目次だった。各短編の題名の上に、確かに印が打たれている。しかしそれは、千反田の言うような「変わった」印とは俺には思えなかった。

シャーロック・ホームズの冒険《ぼうけん》

コナン・ドイル

○　ボヘミアの醜聞《しゆうぶん》
△　赤髪組合《あかがみ》
×　花婿失踪事件《はなむこしっそう》
△　ボスコム谷の惨劇《さんげき》
×　オレンジの種五つ
◎　唇《くちびる》の捩《ねじ》れた男
○　青いガーネット
×　まだらの紐《ひも》

×　花嫁《はなよめ》失踪事件
△　椈屋敷《ぶなやしき》

「ほら、こちらのにも」

シャーロック・ホームズの事件簿　　コナン・ドイル

○　高名な依頼人《いらいにん》
◎　白面の兵士
△　マザリンの宝石
×　三破風館《はふ》
○　サセックスの吸血鬼《きゅうけつき》
◎　三人ガリデブ

△　ソア橋
△　這《は》う男
△　ライオンのたてがみ
×　覆面《ふくめん》の下宿人

　ざっと見て、俺は本を千反田に押し返す。

「何が妙だ、使えるネタに丸をつけただけだろう」

「そうで、すか」

　いま一つ納得していないようでも千反田はそれで引き下がった。里志がその時、何かもぞもぞと呟《つぶや》いたようだったが、聞き直そうと里志に視線を戻せばやつはもうそんなことは知らぬげに興味津々《きょうみしんしん》の様子で見取図に見入っている。

「もうそれはいいだろう」

　机の端《はし》を指で叩きながら、口早に羽場が言う。

「そんなものより推理を始めようじゃないか」

　ははあ。なるほど、どうやら早く自分の考えを開陳《かいちん》したくてたまらないらしい。ま、手早く済ませたいのは俺も同じだ。二冊目に手を出そうとする千反田を、俺は肘《ひじ》で牽制《けんせい》した。千反田ははっと羽場の様子に気づくと、手の中の文庫本といらいらし始めた羽場を見比べて、文庫本を本の山の上に戻す。

「すみません。始めましょう」

羽場は大いに頷《うなず》いた。胸ポケットに気障《きざ》に差していたボールペンを取り、これから講義でもしようというように咳払《せきばら》いを一つ。さあ始まるぞ、謹聴謹聴《きんちようきんちよう》。

「じゃあ、聞いてもらおう。ぼくの考えじゃ、あのミステリーはさほど難しくはない。むしろ、簡単な部類に入るね」

ぶち上げて俺たちの反応を見る。少なくとも俺は無反応、他の連中は知らない。

「まず確認しておかないといけないのは、あの殺人は計画的なものじゃないってことだ。いや、半計画的と言ったほうがいいかな。とにかく、全てが予定通りという類《たぐい》の話じゃない。むしろ犯人は、たまたま条件が整ったからそれに乗じて犯行を行ったと考えて間違いない。これは、いいだろう？」

その導入はなかなかだった。いや、正直に言ってしまえば俺はそのことに気づいていなかった。なるほど言われてみれば、あのビデオ映画でどのようなトリックが弄《ろう》されていたとしても、それが厳密に計画されたものではない道理だ。なぜかといえば。

「……なぜですか？」

千反田が不思議そうに訊《き》いた。話の初っ端《ぱな》からつまずかされて羽場は機嫌《きげん》を損《そこ》ねるかと思いきや、逆に上得意で彼は説明した。

「なぜかって、全てが計画的だったとすれば、どうやって海藤を劇場の右側に誘導《ゆうどう》することができたんだ。海藤が一人で劇場一階右側に向かったのは、あいつが自発的に鍵を選んだ結果だ。それも犯人の計略というよりは、犯人はその状況を利用することを咄嗟《とっさ》に思いついたと考えたほうがいい。まあ、どっちにしても大した違いはないさ。ミステリーにはどっちの作例も豊富だ」

手品師は複数のカードから自分の望むカードを客に引かせる技術を身につけていると聞くが、今回はそうでもあるまい。羽場の言うことは妥当《だとう》だと思う。

続けて、ボールペンの尻《しり》で羽場は見取図上の上手袖《かみてそで》を指した。「死体発見現場」だ。

「知っての通り、あれは密室殺人だ。現場である上手袖に続くドアは、こことこことここ。封《ふう》鎖《さ》されていて使えないのが二つと、死体発見当時に施錠《せじょう》されていたのが一つ。また、窓は二つだ。一つは封鎖されていて、もう一つはすぐ外に背の高い草がみっしりと生えている。密集した草には折れた跡《あと》がない。つまり海藤を殺した犯人は普通には逃げられなかった」

中城の到達《とうたつ》点まであっさり辿《たど》り着いて、そして笑う。

「そうはいっても海藤は殺され犯人は室内にはいなかった。典型的な密室だな。君らには言うまでもないかもしれないが、密室殺人は死体の発見の瞬間にそれが成立していればいい。正確には成立していると全員が思い込めばいいわけだ。じゃあ、どうすればそれができるか。その方法は古今の推理作家がごまんと考えてきた。

一番簡単なものからいこう。犯人は正規の鍵、マスターキーだがそいつを利用し現場に侵入《しんにゅう》、その後で鍵を正規の場所に戻した可能性はないか。

これはまず、面白くない。真相がこれじゃ石を投げられても仕方がない。本郷がいくらアマチュアでも、これはないだろう。でもまあ、一応検討はしてみる。

鍵があるのは事務室だ。事務室に入るためには、玄関ロビーを必ず通らないといけない。が、玄関ロビーは常に、二階用具室にいた杉村の監視《かんし》下にあった。少なくとも監視下にある可能性があった。だからもし犯人が鍵を手に入れようとするなら、杉村に見つからない幸運を期待するしかなかったわけだ。人を殺そうというのに、こいつは無理だよ。

なら、杉村なら安全に鍵を入手できたか？ これも駄目《だめ》だ。杉村は瀬之上や勝田、山西に見られていない幸運を期待しないと事務室に行けない。同じことだ」

ふむ、なかなか慎重《しんちょう》に事を運ぶじゃないか。態度から受ける印象ほど大雑把《おおざっぱ》ではないようだ。

「で、いまの『玄関ロビーを安全に通ることのできる者はいなかった』って事実は、とんでもなく重要になる。これで上手袖だけじゃなく、一階右側通路そのものが誰にも侵入できない場所だったってことになるからだ。その意味はわかるな？」

と質問を出して、羽場は見取図から顔を上げた。当てる生徒を選ぼうというように、俺たちの顔を順々に見る。

……あ、伊原が視線を合わせてしまったようだ。

一瞬の沈黙《ちんもく》の後、伊原は短く答える。

「物理的トリックを仕掛《しか》ける余地がないってことですね」

その回答に、羽場は一瞬失望したような表情をした。

が、すぐ愛想を取り戻す。

「その通りだ」

なんだ、一発で正解を言われたのが悲しかったのか。心なし、羽場はつっけんどんになる。

「そう、例えば糸のトリックか何かで部屋の外部から鍵をかけることがもしできたとしても、この問題の中では全く意味がない。犯人が右側通路に入ることができず出ることもできなかったという、いわば第二の密室はそれでは破れないからだ。つまりこれで、外側からの操作による密室作りの可能性はなくなった。

この第二の密室は、よくあるパターンをもう一つ破る。密室は被害者自身が作り出したものってパターンだ。被害者は犯人に一撃を食らったが絶命せず、犯人から逃れるつもりで部屋に閉じこもり鍵をかけたが、結局その中で絶命した場合。これも第二の密室の存在によって否定される。

じゃあ、他にどんな可能性があるか。浮かぶのは、犯人が殺害時刻に現場にいなかった場合と、被害者発見当時にはまだ殺人が行われていなかった場合だ。簡単に言えば機械仕掛けの殺人と、早業《はやわざ》殺人のことだな。ここまでは、わかるだろう?」

俺はわかる。

が、わからないやつもいた。推理小説をいまは読まない千反田だ。千反田は申し訳なさそうに手の平を挙げる。

「あのう。すみません、もう少し説明をお願いします」

この千反田のお願いも、羽場を満足させたようだ。頷《うなず》くと、またも得意そうに説明を始める。

「機械仕掛けってのは、あの部屋にあらかじめ何か罠《わな》が仕掛けてあって、それが海藤を殺した場合だ。例えばボウガンや毒針なんかがよく使われる。早業殺人ってのは、鍵《かぎ》が開けられた瞬間にはまだ海藤は死んでなく、ドアが開いてから全員が海藤を確認するまでの一瞬の間に殺人が行われたってパターン。わかったかな」

千反田は、はあ、と気の抜けた返事を返した。

「ところが、だ。この二つとも、同じある要素によって否定されるんだ。これはわかるかな?」

挑《いど》むように言って、伊原を見る。伊原の眉が内側に寄るのがわかった。そして、よせばいいのに答えてしまう。

「わかります。死体の状況、ですね」

「……そうだ。やっぱり、わかってるやつと話すのは面白いな」

無理をしているのが、ありありとわかる。俺は心のうちだけで笑った。羽場は咳払《せきばら》いした。

「死体の状況、つまり腕が落ちるほどの斬撃《ざんげき》を受けて死んでいるっていう事実が、機械仕掛けも早業も否定する。それだけの威力《いりょく》のある罠なら現場に入ればすぐに発見されてしまうだろうし、早業殺人でそんな強力な打撃を食らわせられるもんじゃない。

要するに。

本郷の作ったこの密室、正面から突破するのはなかなか難しい」

そこまで言うと、羽場は一旦《いったん》言葉を切った。椅子に深くもたれかかり、一息入れている。羽場は自信たっぷりの態度をすぐに取り戻すと、俺に向かって言った。

「どうだ、君、折木君だったかな。この密室、どう解けばいいと思う」

実のところ俺は、羽場がこの後に話をどうもって行きたいのか見当がついていた。羽場は恐《おそ》らくわざと、有力なルートを検討せずに残している。多分その方面が羽場の用意した正解なのだろう。しかし俺はそれを言わずに、愛想笑いを浮かべて、さあわかりませんと答えた。そのほうが話がスムーズだと思ったからだ。

案の定羽場はあざけるように笑うと、声を高くした。

「駄目だなあ、そんなことじゃ！　いや、でも無理もないかな？」

そしておもむろに席を立つ。撮影《さつえい》に使われたリュックが積まれているところまで行くと、その山の中に手を突っ込み、手はそのままで首だけを俺たちに向け直す。

「ぼくは小道具班でね、撮影に必要な小道具を買ったり作ったりして用意した。海藤の腕とか血糊《ちのり》とかはぼくらで作ったけど、こういうものは買ってきたんだ」

引き出された手に握《にぎ》られていたものは、俺の予想を裏切らないものだった。

つまり、ザイルだ。

「本郷はむらっ気があったのかな、例えば血糊なんかで言えばあらかじめ指示してくれた量じゃ全然足りなくて撮影班が大慌《おおあわ》てになったりしたけど、こいつに関してはしつこいぐらい念を押してきたね。ロープを用意してほしい、人がぶら下がっても絶対に切れない丈夫なものを、って。だから俺は絶対安全ってことでザイルはどうかと言ったんだが、本郷もそれはいいと言っていた。こいつを何に使うかは、もうわかるだろう」

言いながら戻ってきて、椅子に座る。ザイルは机に放り出した。得意げに胸を張る。

「ヒントも出そう。実は鴻巣は、華奢《きゃしゃ》に見えるがあれで登山部なんだ」

俺は全員の顔をそっと盗み見た。伊原は、あのつまらなそうな顔は多分わかっている。里志はいつもの微笑《びしょう》のまま手帳に向かっているのでどうとも判断できない。そして千反田はきょとんとしている。あれはわかっていない。

内心はともあれ俺たちが誰も答えを言わなかったので、羽場はとっておきの秘密でも告げるように声まで落とした。

「だからさ。一階から入れないなら二階から入ればいいいんだよ。残されたルートはそれだけなんだから。二階の右側通路には鴻巣がいた。そこに鴻巣が配置されたのは偶然《ぐうぜん》じゃない。ぼくが思うに、それはあいつが登山部だからなんだ。

本郷のトリックは、わかってみれば簡単、二階の窓からザイルを垂らし、それを伝って誰の目にも触《ふ》れずに現場に侵入《しんにゅう》し海藤を殺し、帰りも同じルートを辿《たど》って戻っていった、ってことだ」

「ええと、上手《かみて》袖《そで》に侵入し、ってことですね？」

「決まってるじゃないか。そこ以外から入ったって、ドアをどうするんだ。……まあ、これでわかっただろう。あの映画はまだタイトルが決まってないけど、つけるならそうだな、『不可視の侵入』とでもつけるかな」

さあどうだ、と言わんばかりに羽場は胸を張る。これ以外に正解はあり得ないという磐石《ばんじゃく》の自信の上に立って、彼は言った。

「さあ、次は君らの意見を聞こうか」

聞こうか、と言われても、なぁ。俺たちは互《たが》いに顔を見合わせる。なんとなく伊原が視線でいけいけとけしかけてくるような気がするが、俺はそいつは無視することにした。何だか反駁《はんばく》してもエネルギーの無駄に終わりそうな気がするのは、昨日の中城と同じだ。昨日の中城が熱意と粘《ねば》り強さなら、今日の羽場は自信でバリアを張っている。逆の方を向くと、千反田と目が合った。俺はやつの言いたいことを察して、小さく頷いた。

千反田は頷き返して、羽場に向き直る。

「素晴らしいご意見だったと思います」

それに対して羽場は当然だと言いたかったかもしれないが、その辺は謙虚《けんきょ》の美徳に基《もと》づいてこう応じてきた。

「いや、それほどでもないがね」

そして伊原に向かって笑いかける。

「君はどうだい」

ああ、刺激《しげき》するようなことを。しかし伊原は悔《くや》しいだろうに、千反田への同意として頷《うなず》いて見せる。

羽場は言いたいことを言い尽《つ》くした。どうやら潮時のようだ。俺は腰を浮かせた。

「見事な推理でしたよ羽場先輩。入須先輩にいい報告ができそうです。……じゃあ、失礼します」

いたく満足した様子で羽場は頷いた。俺の言葉を契機《けいき》に皆も立ち上がる。それぞれが羽場に挨拶《あいさつ》をし、二年F組教室を後にしようとする。

去り際《ぎわ》に千反田は、まだ机に残っているシャーロック・ホームズを見て言った。

「すみません羽場さん。これ、お借りしてもいいですか」

おかしな願いだが、機嫌《きげん》のいい羽場はこころよく許しをくれた。

「それは本郷のものだから、汚さないように早めに返してくれよ」

他人のものならお前が許可するなよ、と内心でつっこみ。

そして伊原も里志も先に教室を出て、最後に俺がドアを閉める時。俺は首だけを教室に突っ込んで、いかにもついでのように訊《き》いた。

「羽場先輩」

「ん、まだ何かあるのか？」

「いや大したことじゃありませんが、先輩はあのビデオを見ましたか？　海藤先輩の腕、いい映りでしたよ」

すると羽場は、苦笑《くしょう》して首を横に振った。

「実は、まだ見ていないんだ」

俺はその答えに満足した。


「なんだか、腹立つ」

ご丁寧《ていねい》に地学講義室に戻るまで待ってから、伊原が言った。その短い一言に冷たい怒気《どき》が秘《ひ》められていることは確実だったので、俺は場を茶化すことなどできない。

それができるのは、里志だ。

「どうしたい摩耶花。先輩の挑戦《ちょうせん》的な態度がカンに障《さわ》ったかい」

伊原はゆっくりとかぶりを振った。

「挑戦的なのはふくちゃんもいつものことでしょ」

言い得て妙だ。里志のなにものをも恐れぬ生活信条を、挑戦的と評するとは。しかし俺もてっきり、こいつは羽場がしつこく突っかかったから腹を立てているのだと思ったが。わかってない、とでも言いたげに伊原は溜息《ためいき》をつき、続けた。

「わたしが嫌だったのは、なんだか馬鹿にされてるみたいだったからよ」

「摩耶花がかい」

「それもあるけど……、それだけじゃなくって。わたしたち全員を、それに本郷先輩も、二年F組の他《ほか》の人だってあの人は馬鹿にしてたわ。だからって別にわたしが怒る義理はないんだけどね」

怒る義理はないから怒らないんじゃなく、怒る義理はないけど腹が立つのか。

俺が羽場の自信の表れだと感じた言動を、伊原はどうやら高慢《こうまん》さと見たらしい。羽場はまわりを見下している、と。確かに、自信と高慢の区別は難しい。ひょっとしたら違わないんじゃないかと思えるほどだ。しかしだからといってそこに怒りを覚えるとは、いかにも「正義」の伊原らしいと俺は心中でにやついた。

「それに、シャーロック・ホームズだって馬鹿にされてたのよ。ふくちゃんは腹が立たなかったの?」

その語気は強い。しかし里志は肩をすくめ、飄々《ひょうひょう》とそれを受けとめた。

「別に」

「どうして!」

「だって、シャーロック・ホームズがミステリー初心者の読み物だってのは、一面の真実だもんね。本郷先輩が『ミステリーの勉強』をする時にまずホームズを思い浮かべたのはいかにも初心者っぽいって、僕だって思うよ。摩耶花だってそう思ったくせに、そう怒らない怒らない」

と伊原の肩をぽんぽんと叩く。伊原は羽場の高慢さに腹を立てているのであって、ホームズ譚《たん》に対する敬意の欠如《けつじょ》に怒っているのではないと思うが……。まあ、伊原も言うだけ言って気が済んだみたいだし、それなら俺が口出しすることもない。

それよりは当面の問題だ。俺は机に腰掛《か》けた。

「で、どうだ。羽場案は『女帝《じょてい》』陛下に奏上しても構わないかね」

借りてきたホームズを開いていた千反田を含め、三人の視線が俺に向く。

まず里志が、少し迷いを残すような口振りで答える。

「うん、まあ、いいんじゃないかな。はっきり言って面白い結論とは思わないけど、本郷先輩が丈夫なロープを用意するよう言ったってのは決定的だよ。細部は違っても、遠からず当たっていると思う」

続いて伊原が、これは案外あっさりと頷く。

「わたしも特に問題ないと思うわ。……特に矛盾《むじゅん》はないし、ビデオ映画の脚本としておかしくない範囲《はんい》だし、反対のための反対はしたくない」

賛成二票だ。さて三票目は？

千反田に目を向けると、どうしたものかやつはひどく戸惑《とまど》っているようだった。大きな目に落ち着きがない。口を開きかけて、ええと、と口ごもる。

「どうした千反田」

「ええ。……わたし、どうしても賛成できないんです」

ふむ。

俺には絶対にみせない人当たりのよさで、伊原が訊いた。

「どうして、ちーちゃん」

千反田はますます困った顔になる。

「それが、ですね。わたしもよくわからないんです。でも、多分本郷さんの真意はそこにはないんじゃないかと。……ああ、こんなの説明になってません。昨日の中城さんの案に感じたような違和《いわ》感じゃないんですが、なぜだかそうなんです！」

本人の言う通り説明になってないし、よくわからないじゃ俺もよくわからん。が、とにかく千反田は反対にまわった。と、千反田はすがるように俺に視線を向けた。お、俺をそんな目で見るな。

「折木さんはどうです？　折木さんも、あれが正しいと思われるんですか」

ううむ、まさかこんな注目される状況になるとは思わなかったな。もっと気軽に言えると思ったんだが。俺は机に腰掛けたまま足をぶらぶらさせ、せいぜい余裕を演出しながら首を横に振った。

「いや、思わない」

即座《そくざ》に伊原の詰問《きつもん》が飛ぶ。

「なんでよ、折木」

……ダブルスタンダードだ。悲哀《ひあい》を感じつつ、答える。

「羽場案は実行できないからだ。もし実際にあの劇場で人殺しをしようってのなら準備があれば使える手かもしれないが、あのビデオ映画の中では使えない」

いつもの笑い顔で里志が先を促《うなが》した。

「つまり？」

「つまり、既に撮《と》られた映像との間に矛盾が生まれるんだ。見取図から離れて、一昨日《おととい》のビデオを思い出してみろよ。上手袖《かみてそで》で、あの窓がどう映されたか」

さして気をつけて見ていたわけでない俺でも憶えているようなことだ。見取図から離れて、という応援《おうえん》さえあれば、三人がそれを思い出すのは難しいことではなかった。

代表して、里志が頷《うなず》いた。

「ああそうか。あの窓は」

「そうだ。長年放置されて、建て付けが悪くなってるんだな。万全《ばんぜん》の姿勢で勝田先輩《せんぱい》が揺《ゆ》すっても、なかなか開かなかった。やっと開いた時の軋《きし》む音の重さも憶えているだろう。相当固いんだよ。

映像であの窓から犯人が侵入《しんにゅう》するシーンを撮ろうとすれば、鴻巣先輩はザイルにぶら下がって夏草を傷《いた》めないよう気を遣《つか》う不安定な体勢で、上開きのあれを開けなきゃいけない。相当に難しいだろうな。時間もかかろうし音もうるさいだろう。下手すればガラスが割れるかもしれない。大体、そんながたがたやってる間に海藤先輩はどうしてるんだ。突っ立ってるのか？無理だろう。

もし本郷があの脚本を現地での取材なしに書いたのなら、窓の建て付けのことを知らずにそうしたルートを採用してもおかしくない。現に羽場は、撮られた映像も見ずに見取図だけで解法を見つけようとして、あれでいけると思ったんだから」

「ああ、だから折木さんは羽場さんにビデオを見たかどうか訊《き》いたんですね！」

と千反田が声を高くした。俺と羽場のやり取りが聞こえていたのか？　千反田の五感の冴《さ》えには毎度驚《おどろ》かされる。

「そうだ。ビデオと照らし合わせてみれば、空中からの侵入は無理だってことがわかっただろうに。

とにかく実際は本郷はあの劇場を下調べして、その上で脚本を書いた。そう中城が言っていたな。もし本郷があの窓を羽場の言うように使いたかったのなら、そして入須の言うように本郷が気配りの利《き》く人間だったら、死体発見のシーンで窓の固さを印象付けるような真似《まね》はさせずに撮影《さつえい》班に油の一つも持たせたろうさ。本郷は建て付けの悪さなんか気にしてなかったんだ。

というわけで俺は羽場案には賛成できないんだが、どうだろう」

訊くまでもなかった。里志が俺の解釈《かいしゃく》を妥当《だとう》としてくれたことは見ればわかる。伊原に至っては、ああ迂闊《うかつ》に賛成なんてするんじゃなかった、などと吐き捨てている始末。

「それじゃあ……」

と言いかけた俺の後ろから声がかかった。

「どうやら今日も思わしくなかったようですね」

振り向くと、いつからいたのか、江波が立っていた。

こいつは本当に解決を期待しているのだろうか。そう思うほどあっけなく、江波は言う。

「それなら明日に期待しましょう。三人目を用意します」

「あ……。よろしく、お願いします」

矢継《やつ》ぎ早の言葉の間に、千反田がなんとか礼を挟《はさ》む。江波は首を横に振ると、これも特にどうということもないように付け加えた。

「でも、明日が最後です。明後日《あさって》の夕方には解決していないと、脚本が撮影に間に合いません」

今日は、水曜日。そうか、いくらなんでもぎりぎりだ。

不安を感じた俺たちに、江波はふと表情を緩《ゆる》めると、深く頭を下げた。

「……こちらこそ、どうかよろしくお願いします」

四『Ｂｌｏｏｄｙ　Ｂｅａｓｔ』

さても翌日。

このところ晴れが続いている。今日も日本は全国的に晴れ渡っている。行楽には好都合だ。朝のうち珍しくテレビをちょっとだけ見たが、行く夏を海で山でその他で惜《お》しんでいる人の群れが映っていた。焼けた肌！　こぼれる笑顔！　これぞバカンス！

俺たちは教室の隅で机を四角に並べて鳩首《きゆうしゆ》会議だ。

もっとも俺自身は、そのどちらが好みということもない。どちらかといえば鳩首会議のほうが性《しよう》に合っているかもしれない。自由にしていいと言われたら、冷房《れいぼう》の効いた喫茶店《きつさてん》で熱いコーヒーでも嗜《たしな》んで無為《むい》に時間を過ごしたいのだが。その場合は酸味の強いやつを、ブラックで頂きたい。

「折木、なにぼーっとしてるの。下らないこと考えてるんでしょう」

お見事。

意識を会議に戻す。議題は言わずと知れた「ミステリー（仮称《かしよう》）」の結末について。それについて話し合ったからといって、オブザーバーの権限を超《こ》えた暴挙だとそしられる訳でもなし。もっとも、俺は黙って聞いているだけだ。会議はおりしも里志が現状の総括《そうかつ》を述べるところ。

「……つまりさ。羽場先輩の言ったことは当たってるよ。あの密室はなかなか堅牢《けんろう》だ。二重の密室を解くのは容易じゃない。特に、外側の密室に関しては、解けるもんかって気がするね」

　里志の言う外側の密室とは、昨日羽場が第二の密室と評したもののことだ。一階右側通路は杉村の監視《かんし》の下《もと》にあり、見咎《みとが》められずにそこに侵入することは誰にもできなかったという、あれ。

　千反田が気弱げに首をかしげる。

「解けないですか。でも、どうしてそう断言できます」

「だってさ、ちーちゃん」

　と伊原が引き継いだ。

「もし羽場先輩の言う第二の密室があるんなら、よ。それを解くには誰がいつどういう風に動いたかちゃんと映ってないといけないの。それならタイムテーブルでもなんでも作って、この三十秒は死角だなってやることもできる。でも、あのビデオはそんなこと映してなかったじゃない。映像が簡素過ぎて、隙《すき》がないのよ」

「ああ、わかりました。杉村さんがホールを見ていない瞬間が、あったともなかったとも言えないんですね」

頷《うなず》いて、伊原は一つ唸《うな》る。

「それに、杉村先輩が瀬之上先輩たちの目を盗むことができたかどうかも、ね。だからわたしは、本郷先輩は第二の密室なんて考えてなかったんじゃないかと思うのよ。あれは羽場先輩の考え過ぎでさ、誰でも右側通路に入れたって前提で考えたほうがいいんじゃないかなって」

それは諦《あきら》めだな、伊原よ。そう考えてしまえれば楽なんだが。伊原はすぐに自嘲《じちょう》的な笑いを浮かべると、手をひらひらと振って自分の言葉を打ち消した。

「って、そういう訳にもいかないわよね。玄関ロビーから杉村先輩を見上げて写したシーンがあったけど、あれは多分ホールが監視下にあるってことを言ってたんだろうし」

そして沈黙《ちんもく》。鳩首会議は行き詰《づ》まりだ。

その行き詰まりを敏感《びんかん》に察知したのか、唐突《とうとつ》に千反田が言った。

「ところで忘れていたんですが」

肩《かた》掛け鞄《かばん》に手を伸ばす。

「これ、皆さんで食べてください」

鞄の中から出てきたのは、立派な小箱に入った菓子《かし》だった。箱に書かれた英語を読むに、どうやらウイスキーボンボンらしい。

「どうしたの、これ」

机の上に突如《とつじょ》現れた華《はな》やぎに、伊原が半ばあきれたような声を出す。千反田はにこりと笑った。

「新製品の試供品だそうです。前にお中元を誂《あつら》えたお菓子屋さんから届きました。我が家ではあまりお菓子は食べないものですから……」

蓋《ふた》が開かれると、比較《ひかく》的大粒《おおつぶ》のウイスキーボンボンがざっと二十個ほど入っていた。

「ま、くれるものならもらうぞ」

一つつまみあげる。包み紙を破って、チョコレートボールを口に放り込む。噛《か》むと、アーモンドとウイスキーの強い香《かお》りが鼻に突き抜けた。俺の顔を覗《のぞ》きこむようにして、千反田が訊《き》いてくる。

「どうです」

「……強い」

酔ってしまいそうだ。一応義理でもう一つぐらいは食べるが、これだけでやめておこう。

めいめいが適当に菓子を手に取る中、俺も少し事件のことを考えてみた。

なんといってもあのミステリーの最大の武器は、情報が制限されていることだ。伊原の言う通り、緻密《ちみつ》でないが故《ゆえ》に、隙が見当たらない。大体、本当に映像の中の情報だけで解けるようになっているのか。そんな、最初に確認したところまで戻りたくなってくる。実際、ホール入口の扉が封鎖《ふうさ》されていたことや北向きの窓が打ちつけられていたことは、映像には撮《と》られていなかったのだ。俺たちの指摘《してき》を受けて多分明後日《あさって》（そう、明後日なのだ！）の最後の撮影《さつえい》の際には、そういう情報を補完するシーンが撮られるのだろうが……。

　俺はふと、リタイアした脚本役、本郷真由のことを思う。推理小説を読んだこともないのに推理ものの脚本を書かされて、胃と神経を痛めるほど真剣にそれに取り組んだ。江波の評した、生真面目《きまじめ》という言葉がしっくり来る。しかし気の毒なことだ。それほど気を遣《つか》った脚本も、撮影班の推理ものに対する意識の低さから、だろう、映像になったときは「これ、解けるのか？」と言われている。それを知れば、本郷はどんな気分になるだろうか。

　ま、あまりいい気はするまいな。

「……ふう」

　知らず溜息《ためいき》が出た。

　と、俺は目の前でとんでもないことが起きているのに気づく。俺の前にはウイスキーボンボンの包み紙は二つ。里志の前にも二つ、伊原の前に一つ。しかし千反田の前にはもう六つもあるじゃないか。見る間にも千反田は七つ目の包み紙を破っている。俺は慌《あわ》ててその手を制した。

「その辺でやめとけ。一応、酒だぞ」

　言われて千反田は、手の平の上の七つ目をじっと見つめ、それから手元の包み紙に目を落とす。どうするかと思ったら、ひょいとその七つ目も口に入れてしまった。

　充分《じゅうぶん》に味わって飲み込んでから、千反田は言った。

「あら、こんなに食べていましたか。なんだか変わったお味で、こういうものなのか気になったものですから」

気になった、って……。

「ちーちゃん、大丈夫?」

事態に気づいた伊原が声をかける。千反田は微笑《ほほえ》んでそれに応じた。

「大丈夫って、なにがですか」

「だって、そんなに」

「平気ですよ。平気です。……ふふふふ……」

おいおい。笑い方がいつもと違うぞ。

約束の時間になり、今日も江波がやって来る。例のごとく無感動な態度で地学講義室の入口に立った江波は、少しだけ眉を寄せた。

「この匂《にお》いは……、お酒ですか」

咄嗟《とっさ》に里志が答えた。

「違います。ウイスキーボンボンです」

そのジョークは江波に通じたのだろうか。どちらにしても彼女はそれきりでアルコール臭《しゅう》への興味を失った様子で、手に持ったコピーの束をこちらに差し出してきた。

「折木さん」

ああ、そうか。席を立ってコピーを受け取る。目を落とすとそれは、一昨日《おととい》江波に入手を頼んでおいた、脚本だ。こいつがあれば、本郷がどの程度までのことを意図していたのか読み取れるだろう。

「昨日渡せればよかったんですが」

確かに早いほうがよかっただろうが。そう思う自分に気づいて、苦笑いする。俺はこの件に関して、自分からは何もしないつもりじゃなかったのか？　中城と羽場を連破して、少し勢いがつきすぎているのかもしれない。

やらなければいけないことなら手短に。早速、一昨日問題になった場面を開く。事件現場である上手袖《かみてそで》周辺に関する言及《げんきゅう》がないかどうか。探すまでもなく、開いたページがたまたまそれだった。

鴻巣「事務室にマスターキーがあったはずよ。取りに行って来る」

ここから開錠《かいじょう》までは、一つのシーンで撮ったほうがいいと思います。

鍵を開けたら、部屋の中には男子だけが入ります（女子はドアのところで並んでいてください）。

部屋の中には海藤君が倒れています。一見してわかりますが、腕をひどく傷つけられています。呼びかけても返事はありません。

杉村「海藤！」

男子が駆け寄ります。

どちらが先でもいいです。

海藤君を助け起こすと、杉村君の手には血がついています。

杉村「血だ……」

女子一同（悲鳴）

勝田「海藤！　畜生《ちくしよう》、誰が」

勝田君が窓を開けます（少し傷《いた》んでいるのでガラスに注意）。

窓の外を時間をかけて写してください。この時、窓の外には足跡《あしあと》などがないように注意してください。

勝田君はその後で下手《しもて》袖の方に行きます。舞台を通るか舞台裏通路を通るかは、どちらでもいいです。ただ、舞台の上は少し木が腐《くさ》っているところもあるので足元には注意してください。

かなり細かく書いてある。なるほど、全編この調子では神経を遣《つか》うわけだ。「窓の外に足跡などがないように」との記述は、中城が言った通り本郷が下見をしたときにはまだ夏草が生えていなかったからだろう。その限りにおいて中城の推理も正解だったわけだ。

そんなことを考えていると、千反田が声をかけてきた。

「脚本ですか」

「そうだ」

相好が崩《くず》れた。

「いいないいな、わたしも欲しいです」

……酔《よ》っ払《ぱら》いめ。本当なら千反田に渡すのが一番楽でいいのだが、どうもいまは不安なので渡さない。代わりに俺は里志を呼んだ。

「里志、パンチと綴《つづ》り紐《ひも》を持ってないか」

むっとした顔で里志は答える。

「そんなもの持ち歩くやつがどこにいるんだよ」

「じゃあホッチキスでもいいが」

「それなら持ってる。ステイプラーだけどね」

手が巾着袋《きんちゃくぶくろ》に突っ込まれ、ホッチキスが出てきた。こんなものを持ち歩くやつも、そうざらにはいない。手早く脚本を仮留めする。

「これ、どうしておこうか」

「なくなっても嫌だし、とりあえずあんたが持っててよ」

伊原の言葉に従って、俺のショルダーバッグに入れておく。それを見届けて、江波が言った。

「では、行きましょう。二年C組に待ってます」

教室を出ると、それにタイミングを合わせたように音楽が始まった。今日は軽音部か、これは……、「The march of black queen」。どうも毎度都合よく音合わせが始まると思ったが、多分俺たちが待ち合わせをしている午後一時からどこか一つの音楽系部活が音合わせをする申し合わせになっているのだろう。他の音楽系部活からは練習の音さえ聞こえない。

先を行く江波に伊原が呼びかける。

「今日は……」

「沢木口《さわきぐち》です。沢木口美崎《みさき》、広報班。なので撮影《さつえい》にはほとんど関わっていません。また、実際の映像ができていないこともあって、広報活動はこれからというのが実状です」

それでは関係者とは呼べない、まともな話ができるのか、とまあ当然の疑問には当然に回答が用意されていた。

「ですが沢木口は、初期段階からプロジェクトに参加し、その方向性決定に深く関わっていました。いい考えを持っているかもしれません」

そして少し置いて、付け加える。

「少なくとも入須はそう判断しました」

ふむ。初期スタッフね。いい考えを持っているかもと江波は言うが、そいつはあやしいものだと俺は思う。大体その方向性決定というのがいい加減だ。入須の話でも出たし、中城と羽場の話を聞いても明白だが、二年F組のビデオ映画は「ミステリー」という以外にまともな方向性がない。そんな計画の立案に関わったからといって、一目置けるものだろうか。そうは思うが、口にはしない。

渡り廊下を渡り始める。その途中で突然、千反田が大声を上げた。

「あーっ、やっと思い出しました！」

「い、いきなり何よちーちゃん」

耳元で叫ばれた伊原がよろめくのをよそに、千反田は実に嬉《うれ》しそうに両手を胸の前で組み合わせる。

「そうです、沢木口さんといえば、あの絵を描《か》いた方じゃないですか。どうも今日は記憶が悪いですね、こんなに思い出せなかったなんて」

なんだ、千反田の知っているやつか？　振り向いた江波は首をかしげた。

「絵？　沢木口はイラストを少し描く程度ですが、どこでそれを」

にこにこと千反田は、

「美術準備室です。折木さん、知ってますよね。知ってて黙っているんだから意地悪です」

俺に絡《から》んでくる。笑い上戸の絡み酒か。性質《たち》は悪くないのがありがたいが。ええと、なんだって、美術準備室。

俺が思い当たらずにいると、伊原が先に思い出してくれた。

「ああ、あの変な本借りていく人の中にいたっけ」

変な本、というとちとひどいが、俺も思い出した。今年の春、絵に関わるちょっとした知恵《ちえ》試《だめ》しをしたことがあったが、その話に何人か女子生徒の名前が関係してきた。その中の一人か。

回想でもしているのか、千反田の視線が宙を泳いでいる。

「そうですか、沢木口さん。確か、ちょっと変わった絵を描かれる方でしたね」

俺は絵の中身までは憶えていないが、漫画《まんが》研究会にも所属しビジュアル方面にも興味のある伊原は同意して頷《うなず》いた。

「そうね、思い出したわ。下手なのか個性的なのか、少なくとも学校の授業で描くような絵じゃなかったことは確かかね」

「抽象画《ちゅうしょうが》みたいなもんかい」

事情はよくわからないだろうに、それでも里志が口だけは出す。伊原は少し悩《なや》んだ。

「ヘタウマな漫画、が一番近いかもしれない」

一連のやり取りを少し離れて見ていた江波が、小さく笑った。

「沢木口の絵を見たんですか。それなら、本人に会っても違和《いわ》感はないかもしれません」

どういう意味だろう、思わせぶりな。

江波の足が止まる。もう二年C組教室の前だった。


その女子生徒は髪をシニョンに括《くく》っていた。いや、シニョンというより、中華風《ちゅうかふう》のお団子頭と言ったほうが的を射ているかもしれない。龍《りゅう》がプリントされた布でくるんだ団子を二つ、頭の両脇に作っている。着ているものはタンクトップにGパン。薄く焼けた肌、手には雑誌。あれは……、天文学の雑誌だ。全体にちぐはぐなスタイルの女は俺たちに気づくと、片手を振り上げ笑ってみせた。

「ちゃお！」

イタリア語の挨拶《あいさつ》に、千反田は少しも惑《まど》わず丁寧《ていねい》に頭を下げる。

「こんにちは、沢木口さん」

途端《とたん》、沢木口は盛大に溜息《ためいき》をついた。アメリカ人を思わせるオーバーアクションで処置なしというように首を振って、

「わかってないなー、わかってない。ちゃおって言われたらちゃおって返さないと、繋《つな》がらないでしょ。はい、もう一回。ちゃお！」

反応に困る俺を尻目《しりめ》に、千反田は平然としたものだ。

「それはすみませんでした、ちゃおです」

こいつ、やっぱり酔っている。普段の千反田ならば、突発的に突飛な行動をとられると混乱して自分はもっと突飛なことをしてしまうのが常なのに。そんなことを思っていると里志が小声で言ってきた。

「随分《ずいぶん》エキセントリックな人じゃないか」

「みたいだな」

「この神山高校に僕の知らない変人がまだいたとはね……」

少し、悔《くや》しそうだ。類が呼ぶ友にも限りがあったということだろう。その声が耳に届いたのか、江波は困ったような笑いを浮《う》かべる。

一方沢木口は千反田の反応が気に入ったようで、非常に陽気だ。

「遠路はるばるご苦労様。あたしが沢木口美崎よ」

自己紹介に応じて、江波が俺たちを手で示した。

「この人たちが古典部。お手柔《やわ》らかにね、美崎」

確かにお手柔らかにしてもらわないと、俺はついていけない。江波は名前までは紹介してくれなかったので、俺たちは一人ずつ名乗る。沢木口は憶える気がないのかそれを適当に聞き流し、最後の里志が名乗るとすぐに言った。

「そう、ま、座んなさい」

「はい」

俺たちが椅子を引くと、江波は「ではよろしく」の言葉を残して座を離れていった。教室のドアが閉められるとすぐ、沢木口が指の関節をぽきぽきと鳴らしながら切り出した。

「あたしらのプロジェクトを手伝ってくれてるんだってね。で、どう。他の連中の案は、上手くいきそうなの？」

率直《そっちょく》なところを里志が語る。

「あまり上手くはないです」

「却下《きゃっか》した？」

「まあ、そうです」

その返答に満足したようで、沢木口はうんうんと何度も頷いた。

「そうでないとね。学生は苦労しないと。サイキンノワカイモンは苦労を知らない」

異国のロボットのような発音で言われたので、咄嗟《とっさ》にはそれが「最近の若い者」とはわからなかった。意味のない言葉の好きな人だ。そういう趣味は嫌いじゃないのだが。

一方で里志は掘り出し物を見つけたように喜んでいる。

「ええ、なかなか手ごわい事件です。腰を据《す》えてやっつけようというからには、このぐらい歯ごたえがないと面白くないでしょうね」

何が歯ごたえだ。里志のモットーで俺が知っているのは二つ、一つは「ジョークは即興《そっきょう》に限る、禍根《かこん》を残せば嘘《うそ》になる」だが、もう一つは「データベースは結論を出せない」だ。自らデータベースを以《も》って任じる里志は自分から解決を探そうなどとはしないくせに。

沢木口は大きく笑った。

「なかなか頼《たの》もしいね。ま、入須ご推薦《すいせん》の諸君だ、普通じゃないだろうね。どうかな、あたしも志半ばに散っちゃったら、後事は期待しちゃってもいいかな」

「ええおまかせを」

その場限りの口約束だろうが、あんまり悪のりが過ぎて後で泣きを見ても知らんぞ。と思ったが、悪のりは沢木口も同じだった。

「よーしまかせた。全面的におまかせ」

打ち解けた気安さで里志は軽口を叩く。

「いやあ、沢木口先輩もなかなか苦労しているみたいですね。広報班の仕事は全然進んでいないとか。やっぱり作品が出来てないのが痛いですか」

「そうねぇ」

ふくれっ面《つら》を作り、沢木口は腕を組む。

「モノがないと宣伝ポスターの一つも作りにくいのは確かだけど、それは何とかなるのよね」

「じゃあ、何が問題なんですか」

「決まってるじゃない」

大きな溜息。

「タイトルよ、タイトルがないのはほんと、どうしようもなくってね。題字も書けないわ。もっともモノが出来てからタイトルをつけようってことになってるから、結局問題はモノがないこと、かなぁ」

言われてみればそうだ。文化祭の企画の広報といえば、まあ垂れ幕やポスターなんかが普通だろうが、そこに作品のタイトルがないのではいかにも寂《さび》しい。

沢木口はそこで里志ににっと笑いかけた。

「というわけでこの辺で脚本にはけりをつけないとね。あたしの説を聞く前に何か質問があれば受け付けるわよ。なんでもどんと訊きなさい」

どんと訊きなさいと言われても、あまりのテンションの高さに俺は尻込みしてしまう。が、千反田はそんなことには構わなかった。

「それじゃあ、訊きますね。沢木口さんは、クラス展示の方向性を決めるのに関係していたんですよね」

沢木口は怪訝《けげん》そうな顔になって、

「ん、まあ、関係していたといえば、してたよ」

「ビデオ映画を撮《と》るって決めたことにも、内容をミステリーって決めたことにも、脚本を本郷さんにまかせたことにもですか」

「そう」

千反田は机に身を乗り出した。

「どういう経過でそれが決まったのか、教えてください」

なんだ、何を訊いているんだ。てんで本題に関係ないじゃないか。顔色も呂律《ろれつ》もいつも通りなのでそうは見えないが、まともな思考ができていないのか。さすがに俺は、小声で窘《たしな》めた。

「千反田、下らんことを訊くな」

するとと千反田はくるりと首だけこちらに向けて、

「でも気になります」

とだけ言うと再び沢木口に向き直る。駄目だな、これは。それでも沢木口が気を悪くした風でもないのが救いだ。沢木口は笑って手を振った。

「関係だのなんだのって言えば、ほとんどの決定にプロジェクトの全員が関係してたよ。比喩《ひゆ》じゃない、本当にね」

その訝《いぶか》しい言葉に里志が問う。

「どういうことです」

「なんでもないことよ。集団の構成員が少ないときは、直接民主制も有効だってだけ」

「……要するに全部アンケートで決めたってことですか」

「君、話が早いじゃない」

ぽんと気軽に里志の肩を叩く。

「数は正義、最大多数の最大幸福こそ我が理想、ってね。議論を戦わせることもないじゃなかったけど、大体はアンケートで決めちゃったわ」

それでは納得できない人も大勢いたのではないかと疑ったが、考えてみれば入須も言っていた、二年F組の企画は完成することを目標にすると。彼らは何かをできればいいのだから、何でもよかったのだろう。全てアンケートで決めるとはそれなりに合理的だったのかもしれない。

千反田が重ねて念を押す。

「あの、本郷さんが脚本を書くことも、ですよね？」

すると沢木口は、思い出すように少し考え、それから苦笑いを浮かべた。

「あ、それは違ったわ。そういうことができるのが本郷しかいなかったから。信任投票まですする必要もないしね」

「すると立候補？」

「ううん、他薦《たせん》。誰が言い出したんだったかなあ、そこまでは憶えてない」

その言葉を聞いた千反田が、ふとかなしそうに眉を寄せた、ように俺には思えた。理由はわからない。いったいこの件に関して千反田がどこでどういう感情を持ってきたのか、俺はそいつは皆目《かいもく》見当がつかないのだ。

ふと思いついたように、沢木口は自分の足元から何かを引っ張り出した。見ればそれは頭陀《ずだ》袋《ぶくろ》だ。頭陀袋だの巾着《きんちゃく》袋だの、変人は持ち物も変わっている。沢木口はその中に手を入れて、

「何、あたしらの意思決定の過程に興味があるの？　それなら……、っと」

大学ノートを一冊出してきた。

「役に立つかわかんないけど、持って行っていいよ」

放り出されたノートを、千反田が開く。数字と文字の羅列《られつ》に、俺は最初その中身が何だかわからなかった。

No.4　何をやるか？
・絵画展……1
・演劇……5
・お化け屋敷《やしき》……8
・ビデオ映画……10

ビデオ映画に決定

No.5　どんな映画をやるか？
・大河歴史……1
・不条理ギャグ……8
・スラップスティック……3
・ミステリー……9
・ハードボイルドアクション……2
・白票……1

ミステリーに決定

ページを進めれば、随分《ずいぶん》細かいことまで載《の》っている。

No.31　凶器《きょうき》をどうするか
・ナイフ（刺殺《しさつ》）……10
・ハンマー（撲殺《ぼくさつ》）……3
・ロープ（絞殺《こうさつ》）……8
・その他
油をかけての着火……1
高所からの突き落とし……2
ナイフを推奨《すいしょう》（ただし採否は本郷に一任）

No.32　死者数をどうするか
・一人……6

・二人……10
・三人……3
・それ以上
　四人……1
　全滅……2
　百人ぐらい……1
・無効票……1

二人を推奨（ただし採否は本郷に一任）

しばらく覗《のぞ》きこませてもらっているうちにわかってきた。これは、アンケート結果の集計一覧だ。俺と相前後してノートの正体に気づいた伊原が、上目遣《づか》いに沢木口を見た。

「これ、借りていっていいんですか。大事なものに見えますけど」

「いいよ、もう決まったことばっかりだし」

借りてもいいのかとかそれ以前の問題として、こんなものを借りてもなあ、とは俺の正直な感想だ。俺たちは入須から謎解きの当否の判断を依頼《いらい》されているのであって、ビデオの作成過程なんて純粋《じゅんすい》にどうでもいいのだ。千反田は何を考えているのか……。それこそが謎だ。単に酔っているだけかもしれないが。

千反田はノートを閉じ、大事そうに手前に引き寄せる。そして、さらに尋《たず》ねた。

「どんと訊《き》けとのことなので、もう一つどんと訊きたいんですが」

「どうぞ」

「沢木口さんは本郷さんとは親しかったんですか」

どこかで聞いた言葉だと思ったら、確かこいつは江波にも同じことを聞いていたな。沢木口は少し困ったように答えた。

「うーん。クラスメートってぐらいかな」

これまでの経緯《けいい》で、本郷真由のひととなりはぼんやりとだが見えている。少なくとも目の前の、里志曰《いわ》くエキセントリックな人とは反《そ》りが合わないだろうというのは想像に難《かた》くない。

千反田はあからさまに残念そうに俯《うつむ》いた。

「そうですか……」

「訊きたいことはそれだけ？」

沢木口が千反田に、そして俺たちに訊く。俺は特になかったし、他のやつらもそのようだ。

それを見てとると、いよいよ本番とばかりに沢木口は若干《じゃっかん》身を前に乗り出した。

「ようし、じゃああたしの説を聞いてもらおうか。もし駄目だなんて言ったら……。わかってるね？」

どこか悪戯《いたずら》っぽく沢木口は笑った。

「犯人探しっていうけどさ。あたしは本当にあれが犯人探しなのか疑ってるんだよ」

まずそれだけを言って、おかしそうに俺たちを見る。沢木口の意図した通りだろう、俺たちはその言葉に戸惑《とまど》った。

伊原が訊く。

「……どういうことですか？」

「うん。だって文化祭の出し物よ、やっぱりぱーっと派手にやりたいじゃない。一人死んだだけで終わりなんて、それはナシでしょ、って。

羽場のあんぽんたんなんかは『ホンカクスイリだ！』なんてぶち上げてるけど、ミステリーって言われるとあたしなんかは全然別のものを想像するんだけどな。多分本郷もそうだったんだ。だから、あのビデオはあれからが本番だと思う」

全然別のもの……？

それは何か、と誰かが尋ねる前に、沢木口のほうから訊いてきた。

「そこの君」

俺のことだ。

「君はミステリーって言われたら、どんなのを想像する？」

いきなり言われても困るな。俺にとっての代表的なミステリーか。ぱっと浮かんだ書名は、多分言っても沢木口には通じないものだったので、俺は有名どころを無難に挙げた。

「オリエント急行殺人事件とか」

しかしこの答えでも沢木口のお気には召さなかったらしい、沢木口はむっと眉を寄せた。

「マニアックね」

つい、言い返してしまう。

「知名度はトップクラスだと思いますが」

すると沢木口は人差し指を立て、ちちち、と横に振った。

「だから、そこで『推理小説』が出てくるのがマニアックなんだってば。自覚がないの？　普通にレンタルビデオ屋に入って、普通に『ミステリー』を探してみたとして、まず何が出てくると思う？」

俺には沢木口が何を言いたいのかわからない。右を見て左を見るが、誰にもピンと来ていないようだ。

沢木口はいらだたしげに声を高くした。

「アンケートでミステリーが一位になった時、誰も推理ものになるなんて思ってなかったっていうのよ。どうしてわかんないかな。ミステリーって言ったら、『十三日の金曜日』とか『エルム街の悪夢』とか、そういうのが最初に来るのが普通でしょ！」

そうかそれが普通なのか俺が悪かった。

……違うって！

それはミステリーじゃないだろう、さすがに。沢木口が挙げた作品は、どちらも怪人《かいじん》が無辜《むこ》の人間を殺しまくる話……。つまり、ホラーだ。ミステリーじゃない。

しかし意外にも、沢木口の主張に同意を与えたやつがいた。里志だ。里志はいたく感心したようで、しきりに頷《うなず》いた。

「ああ。確かにそれは盲点《もうてん》でした」

冗談に付き合うのか。時と場合に応じてほしいものだ。俺は、里志の冗談を中止させる言葉を言った。

「おい里志、本気じゃないだろう」

こう言われると「ジョークは即興《そっきょう》に限る、禍根《かこん》を残せば嘘《うそ》になる」をモットーとする里志は冗談を冗談だと保証する。だから里志がこう返してきたのには驚いた。

「どうしてさ」

ということは本気なのか？

「お前は本当に『十三日の金曜日』をミステリーに入れるのか」

「僕は、入れない。でも、入ってもおかしくない」

その横顔に、伊原が訊いた。

「ちゃんと説明してよ、ふくちゃん」

頷き、一つ咳払《せきばら》いまでしてから、里志は答えた。

「うん。問題はミステリーって言葉の便利さだよ。確かにミステリーって言葉は探偵《たんてい》小説や、まあどう呼んでもいいけど犯人と探偵役の物語を指す。けどその一方で、サスペンスタッチのもの全てを内包することもあるんだよ。場合によっては『十三日の金曜日』……、ホラーも含んでね」

伊原は納得いかない様子だ。里志は少し表情を緩《ゆる》めた。

「摩耶花、書店にはよく行くかい」

「ん、よくってほどじゃないけど」

「ミステリーって名の入った雑誌を探してごらん。コミック雑誌ならなおいい。僕の言うことがきっとわかるよ。でなきゃ、『夏のミステリーフェア』かなんかのラインナップを見るといい。探偵小説だけがミステリーと呼ばれてるわけじゃないことが、わかると思うよ」

ふむ……。

伊原同様、俺も納得はできない。しかし、里志の言いたいことはわかった。確かに「ミステリー」という文字をメディアの中で見るとき、それは血が滴《したた》るようなフォントで書かれていることが多い。推理小説は基本的には流血の惨事《さんじ》を見せるだけのものではないと俺は思う。なら、あの血塗《ちまみ》れフォントは推理小説だけを意図しているのではないという意見も妥当《だとう》なのだろう。しかしだからといって、そういう捉《とら》え方が普通とは思えない。沢木口美崎、随分《ずいぶん》オリジナリティの高い考え方をする。

まあ、問題はそれが今回の話にどう関わってくるかだ。里志の援護《えんご》に力を得た沢木口は、胸を張って言った。

「ま、そういうこと。そういえばあんたらは推理ものが得意なんだったわね。だから感覚がずれてるのよ。で、これでわかるでしょ、あのビデオがあの後どう続くのか。大体海藤が死んでた部屋には誰も入れなかったんでしょ、だったら七人目がいるに決まってるじゃない。それに、本郷はあの六人の他にもう一人、ビデオに出られる人がいないかあちこちに打診《だしん》してたのよ」

それは初耳だ。しかし沢木口の結論は、まさか……。そのまさかを、沢木口は実に楽しそうに口にする。

「疑心暗鬼《ぎしんあんき》が高まってさ、お互《たが》いがお互いを信じられなくなった時、満を持して怪人の登場よ。どのくらい殺す予定だったのかまではわかんないけど、多分全滅はまずいわよね。だからカップルを一組生き残らせて、残りはさくっと殺《や》っちゃえばいいんじゃないかな。ラストシーンはカップルが怪人を倒して、朝日にキッスでキメ。タイトルもそっち方面でちょっと気取って……。英語なんかいいな……、そうね『Ｂｌｏｏｄｙ　Ｂｅａｓｔ』、なーんてね。かえって格好悪いかな」

心中で「まさか」を繰り返してしまう。沢木口はしかし冗談を言っているようには見えない。それどころか、「これならみんな納得よね」などと付け加える始末だ。本当に、正解はホラーの中にあると考えているようだ。自分の価値観が普遍《ふへん》的だと信じすぎていて、とても他の解《かい》釈《しゃく》など受け入れそうもない。

戸惑《とまど》いを隠せないながらも、伊原が反論する。

「で、でも先輩。密室はどうなるんです。鍵がかかってたのは」

何でもないことのように、沢木口はさらりと答える。

「別にいいじゃない、鍵ぐらい」

「……！」

「怪人《かいじん》なんだから壁抜《かべぬ》けぐらい出来ないと。じゃなかったら、そうだ、きっと怨霊《おんりょう》ネタなのよ。うん、そっちのほうがありそうね。オカルティックなのも悪くないわ」

な、なるほど。

……なんという無欠の解答だろうか。俺はある種、感動さえ覚えた。この四日間俺たちの手を煩《わずら》わせてきた問題、なかんずく密室の問題が、こんなに簡単に解かれるとは。「別にいいじゃない、鍵ぐらい」。至言だ。

まだ伊原や千反田や里志が何か言っているようだが、俺はそんなことはもう訊いていない。沢木口説のあまりの見事さに魂《たましい》を奪《うば》われていたからだ。

別にいいじゃない、鍵ぐらい！


そして地学講義室。

沢木口案に真っ先に反対を唱えたのは千反田だった。

「違います、絶対に違います。沢木口さんの説は絶対に本郷さんの真意じゃありません！」

「当然よね。あの人、本気だったのかな。どこから冗談だったのかわかんなかった」

伊原もそう千反田に同意する。

二人があまり真っ向から沢木口案を却下《きゃっか》しようとするものだから、悪戯《いたずら》心を起こしたのだろう、里志が突っつく。

「じゃあ、否定してみてよ」

そして優しく笑って付け加えた。

「……論理的にね」

まったく、時々里志は意地が悪い。伊原は口をつぐんでしまった。それはそうだろう、沢木口案はいわば解決の放棄《ほうき》だ。密室、アリバイ、凶器《きょうき》の問題……。どれも「犯人は悪霊だったので超自然の力で何とかしました」で以上証明終わり、だ。美しすぎる。

この絶望的な完璧《かんぺき》さに、しかし千反田は屈《くっ》しない。

「でも違います」

「だからさ、論理的に」

「違います、違うんです、だって……。……あ！」

なんだ、何か思いついたか。

違った。千反田は突然ふらりとよろけ、あらぬ方にとろんとした目を向けると、

「万華鏡《まんげきょう》のようです」

と呟《つぶや》いた。万華鏡？

……気づくと、千反田の顔が白い。もともと色白な千反田だが、これは只事《ただごと》じゃない。大丈夫か、と声をかけようとしたが、それには及《およ》ばなかった。

千反田は上体を左右に揺《ゆ》らめかせると、ばったりと手近な机に突っ伏してしまったのだ。

「ちょっと、ちーちゃん！」

伊原が近寄って助け起こそうとするが、それは無駄だった。程《ほど》なく、小さな寝息《ねいき》が聞こえてくる。酔い潰《つぶ》れたのだ、寝顔を覗《のぞ》くのは趣味が悪かろう。しかしまあ、いくら中身の酒が強かったといっても、ウイスキーボンボンの七つぐらいで潰れるかな……。まあ、寝かせてやろう。

里志と目が合うと、やつは肩をすくめてみせた。いまは亡き千反田の仇《あだ》を討とうというのでもないが、俺は言う。

「それで里志、お前自身はどうだ。沢木口案を受け入れるつもりか」

里志は微笑《ほほえ》んだまま、ゆるゆると首を横に振る。

「あの大胆さや発想の転換《てんかん》が気に入ったことは確かだけど、実際そうだったとは信じがたいね。まあ、否定する根拠《こんきょ》もないんだけど」

そうか、里志も反対か。

俺は笑った。

「それは残念だな。俺も気に入っているんだ、あれは」

「そうだろうね。何せ全ての問題を一気に解決する名案だ。一網打尽《いちもうだじん》というか一気呵成《いっきかせい》というか、まあホータローが気に入るのも無理はない」

「まあな。もっとも、矛盾《むじゅん》がないでもないが」

無意識に叩いた軽口が、伊原の気を引いた。

「え、否定できるの、あれを？」

と声を上げる。

矛盾、というかなんというか。長いことじゃない、話してしまうか。

「昨日の羽場の話を思い出せば、沢木口案が正解じゃないことはわかるさ。といって、大したことじゃない。

たとえ本郷が脚本の半ばで倒れたとしても、後半にスプラッタでオカルトなホラーを考えていたのなら、それに必要な小道具の手配ぐらいは早めにやるだろう。ところが実際はどうだ。一番必要なものが、手配されてなかったじゃないか」

「一番必要なもの……？」

訝《いぶか》しげに伊原が呟く。里志も首を捻《ひね》った。

「ほら、羽場が愚痴《ぐち》った、あれだよ」

そのヒントだけで伊原は思い当たったようだ。ああ、と声を上げ、視線を合わせてくる。

「わかった。……血糊《ちのり》ね」

「そう。本郷の指示した血糊の準備量は、海藤一人さえ満足に殺せないほど少なかった。羽場は本郷にむらっ気があったのかもしれないと言っていたが、いくらなんでもわんさと殺人シーンを出そうというのにそんな指示は出さないだろう。故《ゆえ》に本郷は、大量殺人をやらかすつもりはなかった。血糊はほんの一部だよ。凶器も、特殊メイクも何も用意されていない。それでまさか、ね。なにせ、沢木口自身も言ってたが……」

里志が重ねるように言ってきた。

「死者が一人じゃ、ホラーは寂《さび》しすぎるねえ」

俺は頷《うなず》いた。

沢木口はあれで真面目《まじめ》に考えていたのかも知れない。少し独善が過ぎて、傍《はた》からはふざけているると見えたにしても、だ。彼女の出した予想に一応の筋が通っていたことからも、そう言うことはできるだろう。だが沢木口は、広報班の仕事のなさからか、他の班の仕事の状況を知らなかった。それが間違いのもとになったわけだ。

なぜだかつまらなさそうに、伊原が呟いた。

「ふうん。何でも理由はつくものなのね」

深奥《しんおう》を突いている。俺はそう思う。

里志からも伊原からも反論はない。沢木口説は、まあ見かけから考えれば順当に、葬《ほうむ》られた。

しかしこれで、三人の探偵《たんてい》志願の意見は、全て却下《きゃっか》されたことになる……。

聞こえるのは寝息。まだ、千反田に目覚める気配はなかった。

五　味でしょう

沢木口との会見終了後、俺たちは江波が来るものと思っていたのだが、待っても彼女は来なかった。沢木口案の採否を伝えなくては先方も困るだろうに、どういうつもりだろう。ともかく日も落ち始め、さしも活発な神高生もぱらぱらと帰途《きと》につき始めるにいたって、俺たちも部室を引き上げることにした。まあ連絡については、千反田は入須と面識があるのだから何とかならぬものでもないだろう。

目を覚ました千反田は、自分が酔って寝てしまったことに気づくと顔を真っ赤にして恥ずかしがったが、実際のところまだやつの酔いは覚めきっていないんじゃないか。昇降口《しょうこう》に向かう間、時折思い出したようにふらりとよろめくのだ。帰途の無事が危《あや》ぶまれる。

千反田と伊原は連れ立って先に校舎を出た。俺は途中まで里志と道を同じくする。校門を出た辺りで、里志は巾着袋《きんちゃくぶくろ》をぶらぶらと振りながら、ぽつりとこぼした。

「結局全部却下しちゃったねえ。あのビデオ映画、どうなるんだろう」

わかりきったことを。この三日間で、正解に至るルートは発見されなかった。

ならば完成しないだろう。

そう答えると、里志は微笑《ほほえ》みのまま少しだけ眉を寄せた。

「わびしいね。兵《つわもの》どもが夢の跡《あと》、ってね。いや、難波のことも夢のまた夢、かな？　千反田さんの目が覚めてたら、一悶着《ひともんちゃく》あるところだよ」

「お前はどうなんだ」

「僕？　僕はこれで忙しいんだ。他のクラスのことで神経を磨《す》り減らすことはないよ」

まばらな下校生に混じって、通学路を行く。空は夕暮れ、残暑は峠《とうげ》を越して、吹く風は涼《すず》しいというにはやや冷たい。夏は過ぎようとしているのだ。

最初の交差点で里志は、普段のやつの道とは違う方向を指して、

「僕はこっちに用があるから。じゃあ、また」

と去っていった。

一人ぶらぶらと家を目指す。

そう。ビデオ映画は、きっと完成しないだろう。……俺はこの四日間に出会った二年F組の彼らを思い返す。

完成への熱意だけを武器に、謎解きという不慣れな仕事に挑《いど》んだ中城。

自分はミステリーに詳しいという自負と自信で、正解を見つけたと確信した羽場。

こうなるのが当然という独善ゆえに、結局普遍《ふへん》性を得られなかった沢木口。

彼らはみな、彼らなりに懸命《けんめい》だったのだ。たとえ軽々しさや高慢《こうまん》さや油断を纏《まと》っていても、自分たちのプロジェクトを完成させたいという思いに偽《いつわ》りはなかっただろう。しかし俺たちは審判《しんぱん》を頼まれ、彼らの案を全て却下した。なぜならそれらは間違っていたからだ。

まあ、仕方のないことだ。気の毒ではあるが、それは俺たちのせいではない。後味が悪いことは事実でも、対岸の火事まで背負いこむほど俺はお人よしではないのだ。だから俺は最初に言ったのだ、こんなことには関わりたくないと。

道はひとけのない住宅街に差しかかる。もうすぐ俺の家が見えてくる。帰って、寝よう。里志の言う通りだ、俺だって他のクラスのことであれこれ悩《なや》む義理なんかないのだ。ビデオ映画が未完成に終わる責はひとえにスタッフの無計画性に、それのみに帰せられるべきなのだ。ずり下がってきたショルダーバッグをかけ直し、少し空を見上げて伸びをした。

視線を前に戻した俺は、前方に俺を待っている人がいることに気がつく。

道の端《はし》、「止まれ」の道路標識の下で、制服姿の入須冬実が俺を待っていた。入須は俺が入須に気づいたことを見て取ると、数歩歩み寄って言葉をかけてきた。

「少し、茶を飲むだけの時間を貰《もら》えないかな?」

不思議と、素直に首を縦に振れた。

入須に付き従い見なれない通りを抜けると、川沿いの細い道に出た。こんなところに喫茶店《きっさてん》などあるのかと思ったら、控《ひか》えめに掲《かか》げられた小豆《あずき》色の暖簾《のれん》と、電気仕掛《じか》けの行灯《あんどん》が目に入った。見るからに瀟洒《しょうしゃ》な佇《たたず》まいで、高校生が学校帰りに立ち寄るような店とも思えない。しかし入須は気負う素振《そぶ》りもなく暖簾をくぐり、引き戸を開けた。ためらう俺を振り返り、手招きする。店に入る時、暖簾の隅に小さく上品に「一二三《ひふみ》」と店名が書かれているのがわかった。

そこは畳《たたみ》のいぐさと焙《ほう》じられた茶の香《かお》りの漂《ただよ》う、渋《しぶ》い店だった。カウンターはなく全席がボックス、無論全て畳敷《たたみじ》き。入須は制服のスカートを整え上品に正座すると、すぐにやって来た前掛け姿のウェイトレスに抹茶《まっちゃ》を誂《あつら》えた。

「君はどうする」

「…………」

「何か？」

「いや、茶というのが本当にお茶だとは思いませんでした。ええと、それじゃあ、水出し玉《ぎょく》露《ろ》を」

メニューの先頭にあるものを適当に頼むと、入須は苦笑《くしょう》した。

「払いは持つつもりだけど、遠慮がないな。いや、もちろん構わない」

そう言われて改めてメニューを見て、俺は面食《めんく》らった。下手なディナーよりもいい値段だ。

入須が俺を誘った理由は明白だが、向こうが無言のまま話を切り出さないので、俺は居心地《いごこち》の悪いままお冷《ひや》に何度も手をつけた。入須は平然と待っている。

程《ほど》なく卓《たく》には、抹茶と水出し玉露、それぞれのお茶請《う》けが整然と並べられる。その抹茶を一口飲んでようやく、入須は切り出した。

「中城は駄目だったのか」

俺は頷《うなず》く。

「羽場も」

「はい」

息一つほどの間を置いて、

「では、沢木口はどうだった」

これは俺たちのせいではないのだが。

「……無理だと思います」

入須は俺の目をじっと見た。その時間はとても長かった。一秒の半分ほどという長い時間、俺は入須の視線に射《い》すくめられた。

入須は、一つ呼気を吐いた。

「そうか」

「残念ですが」

そう答え、水出し玉露を口に含む。値段に見合った、経験のない美味だった……、と言えればいいのだが、実際は味など感じなかった。入須は別に俺を責めているわけではないし、語気が荒いわけでもないのに……。どうも、相性《あいしょう》がよくないというだけのことかもしれない。

入須は湯呑《ゆのみ》の中を見るように視線を落とし、ほんの少しだけくちびるの端を上げた。

「残念、とはおかしな言葉だ。残念なのは私や、私の友人たちであって、君じゃないだろう」

言われてみればその通り、入須の言った言葉こそこの三日間の俺の基本姿勢であったはずなのに。……自然に残念という言葉が出たのはどういうわけだろう。

その理由に思い至る前に、俺は答えていた。

「いえ、残念です。完成できればよかったのに、と思います」

さっきよりはずっと柔《やわ》らかに、入須が微笑《ほほえ》む。

「同情されるとはね」

「きっと感情移入です」

お茶請けの最中《もなか》を楊枝《ようじ》に刺して、舌に乗せる。甘さははっきりしていた。水出し玉露をチェイサーに飲むと、その甘さはすぐにほどけていった。

心持ち穏《おだ》やかに、入須が尋《たず》ねてくる。

「聞かせて欲しい。中城の案を否定したのは、誰だった」

どう答えるか、迷った。しかし入須の表情を見れば、彼女が知っているのは明白だった。ならば隠す意味はない。

「……俺です」

「では、羽場についても、沢木口についても」

「そうです」

「どこが拙《まず》かった」

もはや問われるままに、俺は答えた。夏草に関する考察、他のメンバーの視線、第一の密室、第二の密室、ザイルを使っての窓からの侵入《しんにゅう》、建て付けのあまりの悪さ、ミステリーという言葉の含む意味の広さ、本郷の指示……。この三日間のエッセンスを俺は淡々《たんたん》と語り、入須は黙って耳を傾けていた。時折抹茶《まっちゃ》を啜《すす》るその表情からは、彼女がいったいどんなことを考えて話を聞いているのか読み取ることはできなかった。

「だから沢木口先輩の案も採れないと考えました」

最後にそう言って、残り半分ほどの茶を飲み干す。入須は、そうか、とだけ答えてまだしばらく無言だった。

やがて、湯呑に触れたまま、入須は言う。

「君は最初、私があの事件を解いてくれと言った時、妙な期待は困ると言ったわね。けれどこの三日間君は、私の期待以上の仕事をしてくれた。君は中城たちの案をことごとく葬《ほうむ》った……、私が内心、そうなるのではと思った通りに」

そうなるのではと思っていた？　誰も正解を出せないと思っていたと？

俺は自分の眼光が鋭いものになるのを自覚したが、入須は動じる僅《わず》かな気配さえみせない。

睨《にら》み返してくるでもなく視線を外すでもなく、あくまで自然に入須は言葉を続ける。

「彼らは結局、器《うつわ》じゃない。たとえどれほど懸命《けんめい》にやってくれたとしても、あの問題を解くのに必要な技術が彼らにないことは、最初からわかっていた。

無論、彼らが無能だとは言わない。中城は牽引車《けんいんしゃ》として、羽場は野党として、沢木口は道化としてそれぞれ得難《えがた》い技能を持っている。彼らは有能だけど、だからといってそれが今回の難局に役に立つわけではないと、私は思っていたわ。

もし君がいなければ、私たちは彼らの案のうちどれかを採用し、実際の撮影《さつえい》に持ちこんでからほころびに気づき、結局企画は最悪の形で失敗したでしょう」

冷徹だった。非情なほど。

入須は本当に、彼らの誰にも期待していなかったのだ。

では彼女が本当に期待している相手は誰か？

触れていた湯呑から手の平を離し、入須の正座は完璧《かんぺき》になる。そのまっすぐ向けられた視線の先には、無論、俺しかいない。入須は俺を絡《から》め取るのではない。打ち倒すのだ。そんな印象がふと湧《わ》き起こる。

「私は、君がこの三日間で、君自身の技術を証明したと考える。もし探偵《たんてい》が批評家であるなら、他の探偵の所業を批評しきった君には探偵役が務まると思う。自分の期待が妙でなかったことを、私は確信している。君は、特別よ。

そこでもう一度頼みたい。折木君。どうか、二年F組に力を貸して。あのビデオ映画の正解を、見つけて欲しい」

言い終えて一瞬後、入須は頭を下げた。

俺はそれを、壊《こわ》したら人生が終わるほど高価な美術品を見るような目で見た。様々なことが俺の脳裏《のうり》に渦巻《うずま》いた。俺の技術、彼らではない俺の。特別だと。彼女は俺が頼りだと言う。

しかしそれを信じていいものか。もう長い間俺は、自分は何の力もない普通人と思ってきた。たとえ千反田が持ちこむ厄介《やっかい》事を里志たちに先駆けて解決したとしても、それは運だと。本質的には俺はやつらと変わるところはないのだと。ところが入須はそれは違うと言う。その言葉はほとんど脅迫《きょうはく》のような力を持って俺を揺《ゆ》さぶった。

技術、か。入須が請《う》け合ってくれたからといって、俺自身はそんなものの存在を一瞬だって信じたことはないのだ……。

答えに窮《きゅう》する俺を入須は辛抱《しんぼう》強く待ったが、ついにふっと表情を緩《ゆる》めた。

「何も君に責任を負ってもらおうというんじゃないのに。……歯痒《はがゆ》いな」

「…………」

「では一つ、話をしよう。堅苦《かたくる》しく考えなくてもいい。座興と思って聞いて。

とあるスポーツクラブで、補欠がいた。補欠はレギュラーになろうと努力した。きわめて激しい努力だ。なぜそれに耐《た》えられたのか。彼女はまずそのスポーツを愛していたし、またささやかでも名を成したいという野望もあったからよ。

しかし、数年を経ても、その補欠がレギュラーになることはなかった。そのクラブには有能な人材が、その補欠よりもずっと有能な人材が揃《そろ》っていたから。単純にね。

その中でも極《きわ》めて有能な、天性の才のある人間がいた。彼女は他のメンバーとは全く一線を画する存在だった。無論補欠の技量とは天と地の開きがあった。彼女はある大会で、非常に優《すぐ》れた活躍《かつやく》をした。大会全体を通じてのMVPにも選ばれた。そこでインタビュアーが彼女に訊《き》いた。大活躍でしたね、秘訣《ひけつ》は何ですか、と。彼女は答えて言った。

ただ運がよかっただけです。

この答えは補欠にはあまりに辛辣《しんらつ》に響いたと思うけど、どう？」

入須は再び俺に正対する。俺は喉《のど》の渇《かわ》きを覚えたが、あいにく湯呑《ゆのみ》にもう茶は残っていない。わずかに残るお冷《ひや》に手を伸ばす。

その時、入須はぽつりと言葉を漏《も》らした。いつも纏《まと》った女帝《じょてい》の衣《ころも》を、つい脱ぎ落としたように。それは俺に言ったのではないのだろうが……。その言葉は俺にはこう聞こえた。

「誰でも自分を自覚するべきだ。でないと。……見ている側が馬鹿《ばか》馬鹿しい」

喉に流したお冷が、ひやりと俺を冷やした。

俺は劣等感《れっとう》に苛《さいな》まれているのではない。自分を客観的に見積もろうとしているだけだ。

しかし入須は何度も繰り返し、声高《こわだか》にこう主張する。俺の自己評価は誤っていると。思えば、そう言ったのは入須だけではない。里志も、千反田も、伊原でさえそれに類することを俺に言ったことがある。俺は、彼らよりも客観的に自分を見積もれているのだろうか。

それに、思えば俺自身だって、中城や羽場や沢木口に比べれば、自分のほうがずっとできると考えていたのでなかったか。

……信じてみようか。

その価値はあるのではないか。

俺の考えはその方向に徐々《じょじょ》に傾きつつあった。しかし俺がそれを口にするまでにはまだ時間がかかり、そしてその間、入須はもう何も言わずに俺を待ち続けた。

六　『万人の死角』

翌朝。俺は自分のショルダーバッグに、確かにビデオテープが入っているか確認してから家を出た。

昨日、茶店「一二三」で自分なりの検討を施《ほどこ》すことを約束した後、入須は周到《しゅうとう》にもあらかじめ準備していたビデオテープを俺に渡し、こう言ってきた。

「あまり時間はない。明日の一時に、君の指定の場所に行く。そこで結論を聞かせてもらいたい」

待ち合わせの場所に俺は自宅か、行き付けの喫茶店「パイナップルサンド」を指定しようかと思ったが、少し考えて地学講義室を選んだ。

いま、俺はその地学講義室に向かおうとしている。時刻は十時に少し早いぐらい。住宅街を抜《ぬ》け、市街地をまたぐ。車や人や自転車とすれ違う十五分ほどの道程で、俺は何を考えてもいない。ただお気に入りのフォークソングを脳内で鳴らしながら、漫然《まんぜん》と足を運ぶだけ。ビデオの細部は、この三日間で随分《ずいぶん》俺の頭から消えている。いまそれについて考えることは非効率だ。

商店街の店舗《てんぽ》の切れ目から、神山高校の姿がちらりと覗《のぞ》く。そこまで来て、後ろから声をかけられた。

「ん、ホータロー」

狭《せま》い町だ。振り返れば里志がいる。神山高校標準の夏服に身を包んで、マウンテンバイクから降りて巾着袋《きんちゃくぶくろ》を手に提《さ》げ、笑っている。俺は軽く手を挙げて挨拶《あいさつ》に代える。

「今日も学校へ？」

頷《うなず》くと、里志は眉をぴくりと動かした。

「珍しいね。ホータローが休日の学校に自発的に行くだなんて。何か用でも」

「俺は用がないと学校にも行けないのか」

「いいや？　ただ、そぐわないねえ。何かあるに違いない」

俺は口をつぐんだ。考えたこともなかったが、一貫《いっかん》して省エネルギーを志向する俺の行動パターンは、好奇心を行動のベースに置く千反田のそれ同様あるいは見切りやすいのかもしれない。

隠す必要もない。いや、俺はこいつやこいつたちと事に当たりたいと思ったから、わざわざ場所を地学講義室に設定したのだろう。俺は言った。

「入須先輩から勅命《ちょくめい》を受けた。海藤殺しの犯人を特定する」

それを聞いて里志は、多分わざとだろうが、たっぷり三秒は硬直《こうちょく》した。それが解けると、なぜか喜びを満面に浮かべてやつは声を高くした。

「へえ！　まさかね！　僕はホータローがそれを引き受ける最後の人だと思っていたよ」

「折木奉太郎は義に厚く情が深いんだ」

「ナイスジョークだホータロー」

「俺は急ぐんだよ」

　里志を置いて歩き出す。里志はマウンテンバイクを押して、小走りに俺の隣に並ぼうとする。歩道の幅《はば》に余裕がなかったので、俺は少し端《はし》に寄った。

「随分な心境の変化だね。けど、まあそうなるんじゃないかなと思っていたよ。原因を当ててみせようか」

　軽口を叩く。俺は黙っている。

「千反田さんだ、そうだろう？」

　当然のことのように言う。もっとも、過去数ヶ月の実績にかんがみればごく自然な結論なのだが。古典部にまつわる厄介《やっかい》事は全て千反田に端《たん》を発《はっ》し、俺がそれに主体的に関わるときは千反田に強要されてというのがいままでのパターンだった。過去に例外は一つだけ。

　今回は、その例外の二つ目だ。俺は首を横に振る。

「いや」

　この件を持ち込んだのは確かに千反田だが、俺が今日学校に向かっているのはやつに頼まれたからじゃない。

意外な答えに、里志はわずかに眉を寄せる。

「千反田さんじゃない？　じゃあ気まぐれ、慈善《じぜん》精神……。いや、まさかね。言うまでもないと思うけど、こいつはホータローがやる必要のないことだよ。『やらなくてもいいことなら、やらない』んじゃなかったのかい」

もちろん、それが俺の本来のありようだ。だから、それをあからさまに言ってのけた里志に俺はわずかに不快を感じた。つっけんどんに突き放す。

「そいつをお前に説明しなきゃならんか？」

里志は肩をすくめた。

「いいや。言いたくないのに訊《き》くなんて野暮な真似《まね》はしないよ。謝ったほうがいいかい」

俺は笑ってそれを否定した。

しばらく無言で歩を進める。これ以上の会話がないと見たのか、里志はマウンテンバイクで先行したそうな素振《そぶ》りをみせる。それを止める必要はないのだが、俺は声をかけた。

「里志よ」

「うん？」

呼びかけたはいいものの、別にこれといって言いたいこともない。気がつくと俺は、自分が囚《とら》われている事情を打ち明けていた。

「……お前は、お前にしかできないことがあると思うか」

あまりに問いが曖昧《あいまい》だった。里志は首を捻《ひね》り、慎重《しんちょう》に答えを返してきた。

「何でそんなことを訊くのかわからないけど……。過去未来に亘《わた》って、世界の全ての地域の人間を集めてきて、その中で僕にしかできないことはせいぜい一つだと思う」

その条件でも、あるのか。

「それは？」

「決まってる。『福部里志の遺伝子を残す』ことさ」

そう言うと里志は笑った。冗談で茶化すつもりだったのではあるまい。レギュレーションの不備を、やつらしいやり方で窘《たしな》めたのだ。

「俺が悪かった。言い直す」

少し考える。

「神山高校で、お前が第一人者だと自任できる事柄《ことがら》はあるか」

即答《そくとう》が返ってきた。

「ないね」

あまりに早く、そして明確すぎる言葉に俺は絶句する。里志は気軽に続けた。

「言わなかったっけ、僕は福部里志に才能がないことを知っているって。例えば僕はホームジストに憧《あこが》れる。でも、僕はそれにはなれないんだ。僕には、深遠なる知識の迷宮《めいきゅう》にとことん分け入っていこうという気概《きがい》が決定的に欠けている。もし摩耶花がホームズに興味を傾ければ、保証してもいい、三ヶ月で僕は抜かれるね。いろんなジャンルの玄関先をちょっと覗《のぞ》いて、パンフレットにスタンプを押してまわる。それが僕にできるせいぜいのことさ。第一人者にはなれないよ」

里志からそんな台詞《せりふ》を聞くことがあろうとは思ってもいなかった。しかも里志はそれを、全く平然と天気の話題のように事もなく言ってのけるのだ。俺が言葉を失っていると、里志は人の悪い笑みを浮かべた。

「わかったよ。ホータローが映画の謎に挑《いど》む気になった理由が」

「…………」

「入須先輩に、『探偵《たんてい》役』の素養を認められたね。あの事件を解けるのはホータローをおいて他にない、って言われたんだ。それに乗せられたね？」

まったく、テレパシストが。俺は頷《うなず》く。

「ところがやっぱり危《あや》ぶむわけだ。自分の素養を、『女帝《じょてい》』の言葉を借りれば技術を」

「お前は疑わないな、自分を」

「まあね。……僕は先に行くよ。ビデオを準備しておく」

里志はマウンテンバイクに飛び乗った。すぐにもペダルを蹴《け》りそうな里志に、俺はどうしても言いたいことがあった。言われっぱなしでは気分も悪い。

「里志」

「ああ」

「お前がどう思っているかは知らんが、俺はお前をもう少し高く買う。なろうと思えばお前はいつか、日本でも指折りのホームジストになれると思う」

里志は目をしばたかせた。が、すぐにやつの基本表情である微笑《ほほえ》みを取り戻す。里志はいまや肩越しに、俺を振り返った。

「ホームジストより心惹《こころひ》かれるものはいくらもあるさ。それに……」

「？」

「……それに、いまの台詞は解答に値《あたい》すると思うけどね」


劇はクライマックスに差しかかる。

六人はそれぞれ鍵を取り、劇場の中へと散っていく。この先には悲劇的な結末が待っている。海藤は無残な死体となって発見されるのだ。

地学講義室の隅で埃《ほこり》をかぶっていたテレビ台を使い、俺は未《いま》だ名前のないミステリーを見ている。画面の中では海藤の死体が発見される。

少し離《はな》れた位置に座る伊原が、感心したように言う。

「やっぱりあの海藤先輩の腕は見事よね。照明が暗いことを差し引いても、ちゃんと人の腕に見えるもん」

こいつは俺が用もないのに夏休みの学校に現れたことにまず驚き、それから本郷の謎を解くのに挑戦《ちょうせん》すると宣言するとまさに目を剝《む》いた。ところが伊原、現状を飲み込むとすぐに、入須先輩に何か垂らしこまれたんじゃないのと真相をずばりと突《つ》いてきたのだ。こいつもこいつで侮《あなど》りがたい。

里志が笑いを含んだ声で付け加える。

「あの品質が演出と演技にも生かされればねえ。結局、一番有能だったのは小道具班だったのかな」

そして俺はビデオを見ている。都合二回目だ。現場百回が基本と聞くが、百回も見てはいられない。里志も伊原も、当たり前のような顔をして鑑賞《かんしょう》に付き合ってくれる。これはなかなかありがたいことだ。

『そんな……』

下手袖《しもてそで》に駆け込んだ勝田が、その出入口が完全に塞《ふさ》がれているのを見て啞然《あぜん》とする。

暗転。

ビデオテープは終了する。

雑務を厭《いと》わない伊原がさっと席を立ち、ビデオを止め巻き戻しを始める。テレビの主電源も落とされた。

実は俺はこのビデオが終わるまでには、千反田も来るものと思っていた。千反田はあれで観察力と記憶力が並外れて優《すぐ》れている。ただそうして得られた観察や記憶の意味について分析《ぶんせき》する能力に欠けているのも間違いないが、ともかくその力を借りようと思っていたのだ。ところがやつは結局来なかった。俺は伊原に尋《たず》ねた。

「伊原、千反田がどうしたか知らないか」

伊原は一瞬、表現しづらい表情になった。笑いをこらえているようでもあり、わずかに気分を損《そこ》ねたようでもある。

「ちーちゃんは、寝込んでる」

「どうした。夏風邪《なつかぜ》がぶり返したのか？」

「違うわ」

少し間を置いて。

「……二日酔いだってさ」

…………。

「それは……。レアケースだね……」

里志がそう絶句するのに、俺は頷いて同意を与えた。

「まあ、とにかく」

気を取りなおすようにそう言って、里志が椅子の背もたれにもたれかかる。

「こうして改めて見ると、大して複雑な代物《しろもの》とも思えないなあ。それでいて三人の人間の意見を撃沈《げきちん》してしまうんだから、ビデオは見かけによらないよ」

俺も全く同感だった。三日間の検討を経て、本郷の仕掛《しか》けた謎を解くのは容易ではないと重々わかっているのに、こうして実際の映像を見てみると実に軽い印象しか受けないのだ。

「難しいものを簡単に見せるのは、難しいだろうにな」

独り言のように俺は呟《つぶや》く。ところがそれを耳にした伊原が、さも馬鹿にしたような顔で俺に向かって、ない胸を張った。

「違うわよ、このミステリが簡単そうに見えるのは、そう仕組まれたからじゃないわ」

「ほう。なら?」

「私が思うにね。このビデオが映像としてつまらないから、見る人の興味をそそらないから、謎が引き立たないのよ。これがそれなりの演出とカメラワークで撮《と》られたら、もっと密室のミステリが面白い作品になってたと思うな」

そんなものだろうか。技術的問題がそんなに作品の印象を変えるとは思えないが。にわかには同意できないでいると、里志は我が意を得たというように笑った。

「慧眼《けいがん》だね。確かに僕は初見ではこれが密室事件だというのもしばらく気づかなかったぐらいだ。もっと、そういう方面の演出があってもよかった。……で、カメラワークもそんなに悪かったかい」

　伊原は頷《うなず》く。

「悪いわね」

「例えば摩耶花ならどう撮る」

「わたしなら？　そうね……。例えば最初に楢窪地区を映すシーン。あれはもっと引いたところから、登場人物と廃墟《はいきょ》を一緒《いっしょ》に映したほうが効果的だったと思うわ。それに、うーん、すぐには思いつかないけど、分散行動の後メンバーが集まる時、杉村先輩《せんぱい》が用具室から顔を覗《のぞ》かせたわよね。あのシーンは杉村先輩の視点から撮ったほうが、ロビーが監視《かんし》下にあったってわかりやすかったと思う。ああ、それにそこを映すなら、杉村先輩の行動は瀬之上先輩たちの監視下にあったっていうあれも、瀬之上先輩の視点から写した絵が一つあれば随分《ずいぶん》変わったと思うのよね。それに……」

　なんのかんのいって、やはり伊原は推理ものも映画も好きなのだ。里志が笑ってストップをかけたのは適切だった。そうでなければこいつ、どこまで文句をつけたかわからない。

　俺は溜息《ためいき》をついた。

「映像の拙《まず》さにけちをつけても、始まらんと思うぞ」

「全くだね。方法の方法、全ては方法が問題だ。ちょっと検討してみようじゃないか。まだ可能性が全部潰《つぶ》れたわけじゃないんだ。時間制限は気になるけど、楽しみだよ」

　と、里志がそう言ったところで、闖入《ちんにゅう》者が現れた。

地学講義室のドアを高らかに音を立てて引き開け現れたのは、俺の知らない男。襟元《えりもと》の記章を見れば一年生だ。彼は俺には目もくれず、目的の人間を見つけると大声を張り上げた。

「見つけたぞ福部！」

里志を見ると、あからさまに苦りきった表情になっている。舌打ちの音までが聞こえたが、すぐにやつは微笑《ほほえ》みを取り戻した。

「やあ山内《やまうち》くん、はるばるようこそ。古典部に入部なら歓迎するよ」

山内と呼ばれたその男は、賢明《けんめい》にも里志の軽口に構わずつかつかと歩み寄ると、その首根っこをひっ捕《つか》まえた。

「ちょ、ちょっと乱暴はよしたまえ」

「何がよしたまえだこの野郎。俺はお前のためを思ってやってるんだ。尾道《おみち》は本気だぞ、進級できなくなってもいいのか？」

尾道という名前には心当たりがあった。厳格で鳴らす数学教諭《きょうゆ》だ。なるほどさては。俺は腕を組んで、里志に笑いかける。

「里志よ、補習なら受けたほうがいいぞ。だから試験勉強のふりぐらいはしろって言ったんだよ」

里志は既に友人思いの山内氏に引きずられ席を立たされている。それでもやつは自分のペースを崩《くず》さなかった。

「見事だねホータロー！　その調子で本郷先輩の謎かけもちょいちょいと片付けようか」

事情はわからないだろうに、山内は一喝《いっかつ》する。

「馬鹿が、もう補習は始まってるんだぞ。急げよ！」

「いーやーだー、僕はあの密室を、密室がぁ……」

悲鳴を残して里志は消えた。

あー。なんとコメントすればいいのか。一言で言うなら、馬鹿かあいつは。……と思ったら、走って戻ってきた。里志は巾着袋《きんちゃくぶくろ》から手帳を取り出し、俺に押しつける。

「無念だホータロー。ままならぬは世間のしがらみだよ。かくなる上はこの手帳を、我が前をいつくがごといつきまつれ。……じゃあ！」

また走って去っていく。グッドラック。里志が二年生になれますように。

嵐《あらし》のようなひとときが過ぎると、伊原も席を立った。

「わたしも行かないと」

「そうなのか」

「何よその目は。わたしは入須先輩をならともかく、あんたを手伝う気はないんだから。……図書当番よ。十一時から。こんなことになるってわかってたらあらかじめ日をずらしてもらったのに、いきなり言い出すあんたが悪いのよ」

散々に言うと鞄《かばん》を手に取り、伊原も地学講義室を出て行く。ドアのところで立ち止まり、振《ふ》り返ると極《き》まりが悪そうに言う。

「でも……。ごめんね折木」

　俺は手をひらひらと振った。

　そして教室には俺だけが残される。俺は溜息をつき背伸びをし、頭を掻《か》くと腕を組み、目を閉じて考えてみた。

いま見たばかりの映像を、そして昨日までの三日間のやり取りを、ゆっくりと思い出しながら……。それらを結び付けていく。俺ならば、きっと……。

……そして俺は、自分が結論に辿《たど》り着いたことに気がついた。

我ながら信じがたい結論だ。俺は自分が本当に正しいのか、何度も検証を試みた。しかし欠《けっ》陥《かん》は見つからない。間違いない。間違いがない。

俺は呟《つぶや》く。

「これが、本郷の真意だ」

腕時計を見る。時刻はいつの間にか十二時を大きくまわっている。約束の一時は目前だ。俺はショルダーバッグからかねて用意のお握《にぎ》りを取り出し、当座の腹ごしらえに一つ大急ぎで頬《ほお》張《ば》った。

あさりしぐれのそれを食べ終わり、なるほど比べてみれば昨日の水出し玉露《ぎょくろ》に大分落ちる缶の緑茶を飲んでいると、ドアが控《ひか》えめにノックされた。

「どうぞ」

入ってくるのは無論、「女帝《じょてい》」入須冬実。今日も制服姿だ。私服でも制服でもこの人は、ぴしりと決まって隙《すき》がない。俺は礼儀《れいぎ》として立ち上がり、自分の一つ前の席を勧《すす》める。入須が椅子に納まるのを見て、俺も座った。

入須は世間話をしない。本題をいきなり持ち出してくる。

「まず聞きたい。結論は出たか、出なかったか」

俺は少し唾《つば》を飲んだ。言葉でなく、頷《うなず》くことで返答に代える。

入須の眉が、僅《わず》かに動いた。

「……そう」

特別感情を露《あら》わにすることはない。らしい反応だ。

「では、聞こう」

「はい」

まだ机の上に残っていた緑茶を口に含んで唇《くちびる》を湿らせる。

どこから話すかは決めていた。あくまで、単刀直入に。

「あの謎のキーになるのは言うまでもなく密室です。海藤が……、いえ、海藤先輩が死んでいた部屋には、あのメンバーの誰も入れなかったし、出ることもできなかった」

気のせいか、入須が少し口元を緩《ゆる》めたように見えた。そして自分でそれに気づくと、取り繕《つくろ》うように言う。

「ああ。君のいいように話してくれ。無理に『先輩』をつける必要はない」

ありがたい許可だ。何せ考えるときは全て敬称略《けいしょうりゃく》だったから、口頭でだけ別の言葉を使うのは面倒だった。

俺は頷き、遠慮《えんりょ》なく核心《かくしん》に入っていく。

「……密室の構成は昨日話しました。繰り返しになりますが、我慢《がまん》してください。上手袖《かみてそで》は密室です。そして、唯一《ゆいいつ》外部に開かれた窓が撮影《さつえい》に使えないほど傷《いた》んでいることを考えれば、犯人はドアから出入りしたとしか考えられません。どうやってか。あのドアに物理的トリックを仕《し》掛《か》ける余地があるかどうか、映像には映っていません。なら、犯人は事務室に残されたマスターキーを使って出入りしたと考えましょう。里志ならオッカムの剃刀《かみそり》と言うところです。

しかし犯人は、上手袖に入るための唯一の経路、右側通路に入ることができません。なぜならロビーが杉村の監視《かんし》下にあるからです。事務室でマスターキーを入手し、それから右側通路に入れる人間は六人の中にはいません。

それなら、どういうことになるのか」

俺はここで言葉を切った。すぐに言っては面白くない、と思わなかったとはいわない。平たくいえば勿体《もったい》をつけたのだ。

「六人の中に犯人になり得る人間がいないのなら、結論は一つ。……あの場には、七人目がいたんです」

それが俺の結論だ。

入須の目が、険しさを帯びた。与太《よた》話を持ち出したとでも思ったのだろうか。

「七人目？　沢木口の言うように？」

「限定された意味では。これを思いついたときは随分荒唐無稽《ずいぶんこうとうむけい》だと思いましたが、沢木口が言っていました。本郷は七人目の登場人物を引き受けてくれる人を探していた、と。これを思い出した時、俺は七人目の登場を確信したんです」

無言で入須は先を促《うなが》す。反論があるとしても、全て聞いてからにするつもりだろう。そのほうが俺も話しやすい。

「でも本郷はあの脚本をフェアに書いたということです。突然現れた怪人《かいじん》が元凶《げんきょう》、とは考えられません。ところで、さっきビデオを見直して気づいたんですが、映像に奇妙《きみょう》なところが何点かありました。幸い、里志が手帳にそのことを書いています。読んでみます。

……鴻巣、見取図を見つける。照明当たる。懐中《かいちゅう》電灯と思われる……

もう一箇所《かしょ》。海藤を探しに行くところです。

……通路暗し。光量不足。懐中電灯使われる……

どうです」

すぐに答えが返る。

「懐中電灯か」

「そうです」

唇を舐《な》める。ここが大事だ。

「そして、登場人物の誰も、懐中電灯を持ってはいないんです。懐中電灯の光が当たったシーンの直後、例えば事件現場突入直後なんかの映像を見ればはっきりわかります。懐中電灯を隠す時間はありましたが、そうする合理的理由はないでしょう」

入須の表情に不審《ふしん》が浮かんだ。考えている不満はわかるので、先まわりして保留をかけておく。

「わかっています。あれは照明だ、と言いたいんでしょう。でもまずは、この懐中電灯の一件を憶《おぼ》えておいてください」

納得したのかしないのか、表情からは窺《うかが》えない。構わず先へ。

「もう一つ。映画好きのやつの言葉ですが、気を悪くしないでください、あの映画はつまらなかった。演出と、カメラワークが悪いと。それがヒントになりました。俺は映画をよく見るほうじゃありませんが、その俺でもあの映像はつまらないと感じました。特にカメラワークは、まあ言われて気づいたんですが、全然工夫《くふう》がなかった。けれどもし、それも理由のあることだったら？

カメラワークに工夫がないとはどういうことか。いろいろあるでしょうが簡単に言えば、カメラマンの立ち位置が悪いということじゃないかと。カメラマンは常に、六人と同じ場所から撮影を行っていました。……もう、わかったと思いますが」

態度は平然としていたが、俺は入須がわずかに目を大きくしたのに気づいた。さすが「女帝」、理解が早い。しかしいかに入須冬実といえど、予想もできなかっただろう。俺の推定した七人目、それは。

「……まさか君は、カメラマンが第七の人物だと言うつもり？」

俺は頷《うなず》いた。調子が出てきたのが、自分でわかる。

「彼らは七人だったんです。七人で楢窪行きを決め、七人でそこに向かいました。画面に出てくる六人と、ハンディカメラでそれを撮影している一人で七人です。映像を見直してください、あちこちに、役者がカメラ目線を気にする場面が出てきます。彼らはそこにいるカメラマンを意識していたんです。カメラマンというと語弊《ごへい》がある、『七人目』と言いましょうか。

懐中電灯の照明を当てたのも七人目。あの照明は、いくらなんでもわざとらしすぎる。あの場に懐中電灯を持つ人物がいることを暗示していると考えても不自然じゃない。カメラワークの下手さも、彼があちこちから同時に一つのシーンを取ることができない存在、つまり役者だからと考えれば頷けます」

俺の一言一言に、入須が大きな興味を寄せているのがわかる。

「そして、これが重要なんですが、メンバーが劇場内部に散ったとき、カメラは誰もいなくなるまでロビーにありました。そしてシーンがアウトした、つまり一時的にカメラが止められた後、カメラはロビーで戻ってくるメンバーを待っていたんです。

故《ゆえ》に犯行は簡単です。七人目は全員が劇場内に散るのを待ち、手に持ったカメラを止めると速《すみ》やかに事務室のマスターキーを入手。海藤を殺害した後、それを使って部屋を閉じます。そしてロビーで他のメンバーが戻ってくるのを待ったんです。

以上が結論です。本郷が七人目の役者をまだ選んでいないのなら、早急にそれを用意することをお勧《すす》めします」

そこまで一気に言い、俺は缶《かん》の緑茶に手を伸ばした。

これが、俺の推理だ。

入須は俺の案を検討するようにしばらく黙っていたが、やがて訊《き》いてきた。

「二つ。

まず一つ。もしそうなら、劇中に七人目に話しかける人物がおらず、また七人目も喋《しゃべ》らなかったというのは不自然ではないか」

その問いへの答えは用意してあった。

「本郷はそれを動機にしたかもしれません。つまり、七人目は他の六人に徹底《てってい》的に無視される存在でした。彼はそれ故、自分から口を開くこともできなかった」

「もう一つ。もしそうならば、劇中の彼らは遠からず結論に辿《たど》り着けるはず。最後までロビーに残り、最初に戻っていた七人目を疑わない者はない。さらに君の言う『第二の密室』は破られていない。七人目の移動する姿は衆人環視《かんし》の下《もと》にあったと推定できる。それなら、そこには何の謎《なぞ》もないと思うけれど」

俺は、意図的に、笑った。

「沢木口の言葉を借りましょう。……別にいいでしょう、謎ぐらい」

「…………」

「ビデオ映画の目的は、第一にスタッフの自己満足とすれば、第二は観客を楽しませることでしょう。登場人物を悩《なや》ませることじゃない。中城の言い草じゃないですが、謎は観客が謎に感じればいいのであって、登場人物には自明のことでも構わない、とも考えられませんか。……思えば、だからあの脚本には探偵《たんてい》役がいないのかもしれない。作中のやつらには推理する必要もなく犯人は明らかだからです」

それからたっぷり一分、沈黙《ちんもく》が続いた。入須は黙って、目の前の俺を見ようともせず、視線を下げていた。大胆な意見に、さすがに戸惑《とまど》っているのだろうか。

しかし俺は焦《あせ》りを覚えたりはしなかった。この案は大丈夫だ。どれだけ入須が検討に時間をかけても、結果は見えている。

そして、入須は呟《つぶや》いた。

「おめでとう」

「は」

彼女は顔を上げる。それまでの表情の乏《とぼ》しさからは考えられない晴れ晴れとした笑顔が、そこにあった。

「おめでとう折木奉太郎、君は本郷の謎を解いたようね。まったく驚くべき大胆な発想だけど、全ての事実に一致《いっち》する以上、それが正しいことは間違いない。そしてありがとう。これで映画は完成するわ」

差し出される右手。

俺は照れた。

握手《あくしゅ》。

強く右手を握《にぎ》りながら、入須は左手で俺の肩を叩く。

「やはり私の目に狂いはなかった。君には技術があったわ。他の誰にもない、他に代えることのできない力が」

……そう。

そして入須は、晴れやかな表情のまま言った。

「どうだろう、君の仕事の記念に、あの映画にタイトルをつけてみない」

タイトル、か。考えもしなかったことだが。

しかし、俺が自分の力を信じるという珍しい行為の記念を、何かの名前に残すのも悪くはないだろう。少し考え、即興《そっきょう》で俺は言った。

「そうですね、内容に即《そく》して……。『万人《ばんにん》の死角』というのは、どうでしょう」

「ふむ」

入須は何度か頷《うなず》いた。

「いいタイトルね。それに決めよう」

かくてタイトル未定のビデオ映画はそうではなくなり、俺の夏休みの最終盤の四日間を削《けず》り取った厄介《やっかい》事は解決された。俺には物質的には何の見返りも与えられなかったが、それでも俺は、悪い気はしなかった。

自分に「探偵役」が務まった。その事実だけで、俺は充分だったのだ。

七　打ち上げには行かない

それから三日間の俺の心境を述懐《じゅっかい》するのはあまり気の進む作業ではない。

向き不向きはあったにせよ心愚《おろ》かならぬ三人がそれぞれ果たせなかった目的を、部外者の俺が成し遂げた。確かに俺がオブザーバーという有利な立場で三人から情報を得ていたのは事実だが、それでもあの解決は俺に、入須の言葉を信じさせた。俺は、自分が言うに足る能力を持っていることを自覚するに至ったのだ。そのことは、ちょっと気取ってみるならあのウイスキーボンボンのもたらす酩酊《めいてい》のように、ゆったりと俺の精神を満足感に浸《ひた》していった。

それは、控《ひか》えめに表現すれば、新鮮《しんせん》な心境だった。

金曜の昼に解決された本郷の謎は、土曜の夜までに脚本という形で書き下ろされ（その突貫《とっかん》作業のため、脚本家の代役を任された何とかという一年生は半死人の様相になったというが、それは俺の知ったことではない）、それに従って二年F組のビデオ映画は日曜の夕方には撮影《さつえい》を完了した。絶望的状況からの大逆転。日曜の夜に律儀《りちぎ》にも電話をかけてきた入須からそれを聞き、俺は素直に祝いの言葉を述べた。

解決から三日、月曜日。神山高校は夏季休暇《きゅうか》を終了する。

古典部はこの週末には集まらなかったので、俺は今日になるまで事件の経緯《けいい》を千反田たちに伝える機会がなかった。放課後、別件があって少し遅くなったが、俺は部室に足を向けた。手《て》柄《がら》を称揚《しょうよう》するようで趣味ではないが、まあ行きがかり上あいつらにも説明したほうがいいだろうなと思いながら特別棟《とう》の階段を上っていく。足取りが軽かったことを、否定はしない。

地学講義室の前まで来て、俺はちょっとした異常に気がついた。教室の中が暗い、カーテンが引かれているようだ。これはさてはと思いながら静かにドアを開けると、案の定備品のテレビが引き出され、ビデオ映画『万人の死角』が放映されていた。千反田、伊原、里志の三人が、こちらに背を向けてテレビに見入っている。

といっても俺が入った時には既に映像はエンドロールだった。黒の背景にゴシック体でスタッフの名前が流れていくだけの無骨なものだ。撮影完了が昨日なら編集の時間も取れなかっただろうにエンドロールがあるとは、多分それだけ先に作ってあったのだろう。

その途中で伊原が席を立つ。ビデオを止めると、俺に気がついた。

「あ、折木」

千反田と里志も振り返る。里志がテレビを指差した。

「やあホータロー、観たよ」

「二年F組の」

「そう。さっき江波先輩が来て、置いて行ったんだ。そうかあ、これも結局ホータローが解決したんだねえ」

里志は笑っているがこいつはいつでもその顔なので、映画の出来栄《ば》えをどう思っているのかはわからない。なので俺は水を向けてみた。

「どうだった」

「ん。悪くない。悪くないというか、面白かったよ。カメラマンとはね」

ビデオデッキの巻き戻しボタンを押し、伊原はどこか責めるように言った。

「この前の時にもうこんなこと考えてたの？　おくびにも出さなかったじゃない」

「お前らがいた時にはまだ考えついてなかった。焦《じ》らして遊ぶような趣味はないさ」

そう言いながら俺はショルダーバッグを手近の机に置き、ついでにそこに腰掛《こしか》ける。

実は俺は拍子抜《ひょうしぬ》けしていた。こいつらの反応が思ったよりおとなしかったからだ。自分の出した結論の意外性に俺は満足していたので、こいつらも大いに驚《おどろ》いてくれることをどこかで期待していたらしい。我ながら馬鹿なことだ、里志と伊原といえば、すれているのもいいところじゃないか。

では、すれていない千反田はどうだろう。

目線が合う。すると千反田は、かくんと小首をかしげた。

「折木さん」

「ああ」

「驚きました」

率直《そっちょく》な意見だ。

首を戻すと、千反田の視線は俺から外れて宙をさまよった。ややあって、慎重《しんちょう》に言葉を継ぐ。

「それでですね、わたし……」

そこではっと気づいたようになると、曖昧《あいまい》な笑みを浮《う》かべる。

「ええと、後で、です」

奇妙《きみよう》な反応だな。どう解釈《かいしゃく》すればいいのだろうか。好意的とも批判的ともわからない。

ぱんと手を打つ音が響いた。里志だ。

「まあとにかく上出来だよホータロー。『女帝』も満足、映画は完成、この意外性なら観客も楽しんでくれようじゃないか。折木奉太郎の名前が名探偵《たんてい》として神高《かみこう》中に広がる日も近いね。成功を祝って乾杯《かんぱい》といこう」

と巾着袋《きんちやくぶくろ》からヤクルトを四本出してくる。ふざけたものまで入れてやがる。祝賀のムードを作ろうとする里志を、伊原が立ったまま苦々しい声で牽制《けんせい》した。

「他所《よそ》のクラスの問題をこれ以上引きずってる時間はないのよ、ふくちゃん。あの試写会からこっち、わたしたちの『氷菓』は全然進んでないんだから。今日こそページ数を確定させるわよ。もちろん、ふくちゃんは原稿《げんこう》進めておいてくれたわよね。お願いしたでしょ」

里志は微笑《ほほえ》みを凍《こお》りつかせ、伊原の前にだけヤクルトを二本置いた。そんなことで誤魔化《ごまか》せる相手と思ってか。案の定伊原はそれを相手にせず、今度はカーテンを開けてまわりはじめる。二年F組のビデオ映画についてはそれきりで、古典部の活動は再び文集作成へと戻っていった。

日が暮れて、文集『氷菓』に関する何度目かのミーティングも終わる。つい広げすぎてしまった覚え書きの類《たぐい》を俺が片付けている間に、里志と千反田は相次いで先に地学講義室を出ていった。室内には俺と伊原という珍しい取り合わせになる。

無断使用のテレビを元の位置にきっちりと収めながら、伊原はたったいま思いついたような顔で俺に言った。

「あ、そうだ、折木。ちょっと訊《き》きたいことがあるんだけど」

「文集の原稿なら、来週初めには出せると思う」

伊原は首を横に振る。

「あのビデオ映画のことよ。題名はなんだっけ、ええと、万人《ばんにん》がどうとかいうの」

自分の考えた題名を自分の口から言うのが少し恥ずかしかったので、俺はその題名を教えずに伊原に先を促《うなが》した。

「あれがどうした」

「あの解決は、折木が出したものよね」

頷《うなず》く。

何を考えているのか、伊原は慎重に念を押してきた。

「全部？」

と言われても、俺は完成版の映像を見ていないからなあ。勢い、返事も曖昧になる。

「多分」

その答えを聞くと、こいつの目に鋭《するど》さが宿った。それまでとは一段違う、強い語調になる。

「それじゃあ、あんたはあの羽場先輩の言ったことをどう考えたの。トリックの面白味はともかく、そこはしっくりこなかったわ」

納得できない面が残ったと？　俺は訊き返す。

「羽場の言ったこと、というと」

「意図的に無視したんじゃなかったの？」

と呟《つぶや》くと、伊原は腰に手を当てて言った。

「あの映画の中には、どこにもザイルが出てこなかったわよ」

ザイル……。本郷が羽場に、用意を頼んだ品。それも、充分な強度を念入りに言い含めて。

そういえば、そんな話もあった。

咄嗟《とっさ》に応じられない俺に、伊原は言葉を重ねる。

「カメラマンが七人目ってのは面白かったし、登場人物全員が一斉《いっせい》にカメラ目線になるシーンは映像として迫力《はくりょく》もあったわ。でも、あれじゃどこをどうしても、ザイルの出番はないじゃない」

確かに。

いや、そうじゃない。俺は反論する。自分でも少し、声が上ずったかなと思う。最後にカメラマンに首でも吊らせるつもりだったかもしれないじゃないか」

「ザイルの用意があったからって、トリックで使うとは限らないだろう。最後にカメラマンに首でも吊らせるつもりだったかもしれないじゃないか」

言うと、伊原はあきれたように俺を見た。

「何を言ってるのよ折木。そうなら何で強度を確認したりするの。ザイルなんて丈夫なもの使ってそんなシーンを撮《と》ったら、万一の事故の時に危なくてしょうがないじゃない。明らかに本郷先輩は、丈夫なロープに何か重いものを、人間みたいなものを支えさせるつもりだったのよ。

……それとも、わたしが間違ってるかな」

最後の言葉には伊原らしからぬ気遣《きづか》いが含まれていたかもしれないが、俺はそんなことにも気づかなかった。間違ってるかなと言われれば、間違っているとは思えなかったのだ。些細《ささい》といえば些細なことだろうが……

俺はなぜそんなことを忘れただろう？

「ま、とにかくさ。わたしには面白かったよ、あんたのあれ。でも、あんたが二年F組の三人の見解を却下《きゃっか》したぐらいに厳密に見ると、全部の情報にうまく合ってるわけじゃないかな、って思うの」

それだけ言うと伊原はテレビにビニールカバーをかけ、もう俺の方は見ずに今度は自分の鞄《かばん》を片付けはじめる。ぽつりと、鍵はわたしが返すから、と言うのが聞こえたので、俺は先に教室を出ることになった。


伊原の言葉が耳に残って離れないまま、俺は特別棟《とう》の階段を下る。俺はあの解決が、すべての事実に適合するものと考えていたのだ。細部の演出や台詞《せりふ》まわしはもちろん違うだろうが、大筋であれが本郷の真意だと。しかし忘れていることがあった。あるいは忘れていたのではなく、自分の考えに合わなかったから無意識に無視していたのか？　そんな、解答に合わせて問題を捻《ね》じ曲げるような真似《まね》は俺はしなかった……、と、思いたいが。

足元だけを見ながら階段を三階まで降りてくる。そのまま何の意識もなく二階へ、と思ったが、声をかけられた。

「ホータロー、ちょっと」

振り返っても誰もいない。里志の声だと思ったが……。いや、空耳のはずはない、はっきりと聞こえていた。少し待ってみると、やはりもう一度名前を呼ばれた。

「こっちだよ、ホータロー」

男子トイレの中から手が出て、俺を招いている。夜だったらホラーだな、おい。苦笑《くしょう》しながらそっちに向かう。トイレの中にはやはり里志。

「どうした里志。連れ小便の趣味は俺にはないぜ」

するとと里志は、口元の笑みは完全には消えないが声色《こわいろ》と目はシリアスという、やつ一流の真剣さで言った。

「そんな趣味は僕にだってないよ。ここが都合がいいのさ」

「何の都合だ。どうも臭《くさ》いな」

「掃除は行き届いてると思うけど。……ここには女の子は入ってこないからね」

ははあ、なるほど、それは間違いない。

「それで、女子禁制にして何の話だ。ビニ本でも見せてくれるのか」

せいぜいふざけたつもりだったが、里志は笑わなかった。

「ビニ本とは古い言いまわしだねえ。お望みなら、警察沙汰《ざた》になるようなものでも用意するけど、いまは僕の話を聞いてくれよ」

ふむ。

「つまり伊原や千反田には聞かれたくない話なのか」

「まあね。みんなの前じゃアレでナンだと思ったんだ」

少し、里志は声を落とした。

「ホータロー。さっきのあれだけど、ホータローはあれを本郷先輩の考えのつもりで考えたのかい」

こいつもその話か。しかもどうやら、あまり好意的ではなさそうだ。自分は渋《しぶ》った顔をしているなとわかる。

「そうだが」

それを聞いて、里志は俺から目を逸《そ》らした。

「そうか……。本当にそのつもりだったのか」

不安にさせるような態度を取るじゃないか。言いにくいのか里志は、視線を外したまま先を続けない。仕方なく促《うなが》す。

「そのつもりじゃ悪かったのか」

「ああ、まあね」

曖昧《あいまい》に頷《うなず》いて、それで思い切ったように里志は話し始めた。

「ホータロー。あれはまずいよ、本郷先輩の意図は違う。僕にはそれがどういうものだったかは予想することもできないけど、ホータローのあれじゃないことは言えるよ」

……随分《ずいぶん》はっきり言ってくれる。衝撃的《しょうげき》とか不愉快《ふゆかい》とかいう以前に、俺は呆然《ぼうぜん》としてしまった。里志が言うことは冗談でなければ本気で、いまこいつは明らかに本気だ。それでも気を取り直して、言い返す。

「何か根拠《こんきょ》があって言うんだろう?」

「当然じゃないか、僕がいい加減なことを言ったことがあるかい」

「そんなに致命的《ちめいてき》な矛盾《むじゅん》があるのに、俺は気づかなかったのか」

するると里志ははっきりと首を横に振った。

「矛盾があるんじゃない。僕にはそれは見つからなかった。大変結構と思ったのは、嘘《うそ》じゃない。でも本郷先輩の真意じゃないってだけなんだ」

「つまり?」

一つ咳払《せきばら》い。

「ホータロー、本郷先輩の探偵《たんてい》小説への理解度を考えに入れてごらんよ。先輩が理解ゼロの状態から『勉強』に使った本は何だった?」

何の関係があるのか訝《いぶか》りながら、答える。

「シャーロック・ホームズだろう」

「そうだ。いいかい、本郷先輩の探偵小説歴はシャーロック・ホームズだけなんだ。十戒を守ったって言ってもお題目だけで、ノックスなんか読んでない。そして、ホータローが入須先輩に提案したトリックは、あれは叙述《じょじゅつ》トリックの類《たぐい》だよ。わかるかい、叙述トリックって」

まあ、わからないこともない。

「文章の見せ方で読者を騙《だま》すやり方だろう。あの映画は映像の見せ方で七人目を隠したから、まあ叙述トリックかもしれないな」

「そうだよ。そしてホータロー。傍点《ぼうてん》付きで聞いてくれよ」

里志は言葉に重みを持たせるように一呼吸入れた。そして短く。

「叙述トリックは、ドイルの時代には存在しない、い、い、い、い、い、い、い」

「………」

「いいかい、そいつが表舞台に出てくるには、ごく少数の例外を除けばクリスティーまで待たなきゃいけないんだ。二十世紀に入ってからだ。僕は本郷先輩を知らない。でも、先輩がクリスティー並みだとは信じられない！」

最初俺は、里志が何を言ったのかわからなかった。その意味が浸透《しんとう》するに従って、俺は動揺《どうよう》しはじめた。

本郷の脳内で、推理ものの理解度は十九世紀半ば、ガス灯煙《けぶ》るロンドン、シャーロック・ホームズの時代で留《とど》まっている。それは多分そうだろう。そして里志は、その時代の者には叙述トリックは生み出せないと言う。

俺はしばらく、馬鹿みたいに突っ立ったままでいま聞いたことを反芻《はんすう》する。里志の見解を、受け入れることも拒絶《きょぜつ》することもできない。想像もしなかった角度からの一撃《いちげき》に、俺の頭は止まってしまったようだった。

里志は、そんな俺を気の毒そうに見ながら言った。

「僕は、個人的にはあの映画にAを付けたい。カメラマンを光の下に引き出すなんて実に僕好みだよ。でも、ホータローがあれを本郷先輩の意図として考えている以上、僕は異議を申し立てないわけには行かない」

「待ってくれ」

何とか、言う。

「本郷先輩の読書歴を、俺たちは全然知らない。ホームズ以外、推理小説以外で叙述トリックに触れる機会が、無かったとは言い切れないだろう」

我ながら未練がましい。そんな俺に肩《かた》をすくめながら里志が返した言葉は、短かった。

「……ホータローが心底そう思えるなら、僕はそれでもいいんだけどね」


伊原と里志のコンビネーションプレイで、俺が受けたダメージは深刻だった。俺は打たれ弱い人間ではないと思う。しかしにわかじこみの自覚なぞ、ひびを入れるのもたやすいことだ。二人の言葉に俺は有効な反駁《はんばく》ができなかった。ならば、自分の説が間違っていたのだと思い始めるのも無理はない。間違っていないでほしい、とももちろん思うのだが。

だから、階段を降り切って昇降口《しょうこう》に入った時、そこにたたずむ千反田の姿を見つけたときはどきりとした。千反田は明らかに俺を待っていたのに、俺の姿を見るとさっと目を伏せた。

「あの、折木さん。……少しお話があるんですが」

千反田よ、お前もか。

その申し訳なさそうな態度を見れば、そして前例にかんがみれば、おおよその用件はわかる。

俺は半ば諦《あきら》めを込めて溜息《ためいき》をつく。

「里志や伊原の前では、話しにくいことだな？」

千反田は大きな目をさらに大きく開いて、俺の見通しに驚く。そして、小さく、頷《うなず》いた。

連れ立って校門をくぐる。落ち着いて話せる喫茶店にでも入ろうかと思ったが、俺の行きつけの店は神山高校からだと遠くなるし、すぐ近くの店は神高生でごった返す。なら、歩きながら話しても同じだろう。まだ陽《ひ》は高かった。俺は、自分のほうから切り出した。

「話ってのは、あのビデオ映画のことだろう」

「はい」

「気に入らなかったんだな」

「……そういうわけでは」

答える声は小さい。

裁判で判決を待つのはこんな気持ちだろうか。じりじりして俺は、言ってしまう。

「遠慮《えんりょ》しなくてもいい。里志も伊原も、あれは本郷の真意じゃないと言ってきた。俺も……、そうじゃないかと思い始めている」

伏目がちだった千反田が顔を上げる。そちらを見ずに続ける。

「お前はどうだ」

「……わたしも、違うと思います」

「どうしてなのか、言えるか？」

沈黙《ちんもく》があって、千反田は頷いた。

聞いてどうしようというのか、それは俺にもわからなかった。もう撮影《さつえい》は済んでいる、ここで検討を重ねても全ては後の祭りというやつだ。合理的に考えれば無駄な行動、省エネに反する行いだ……。しかしどうやら、俺にも僅《わず》かに矜持《きょうじ》は残っていたらしい。

「それを、教えてくれないか」

目の前の信号が赤くなった。人の流れが寸断され、たちまち横断歩道の前には神高生の人だかりができる。その中で話すことを憚《はばか》ってだろう、千反田は答えない。横顔を見たが、いつもどこか柔《やわ》らかさを含んでいた目元が、少し憂《うれ》いているようだった。目の大きさが隠れた千反田は、本当に清楚《せいそ》に見えた。

信号が変わり、人の波が動き始めると、千反田はゆっくりと話し出した。

「折木さん。今回の一件で、わたしが気になっていたことが何か、わかりますか」

何をいまさら、と俺は率直《そっちょく》な返事を返す。

「二年F組のビデオ映画が、どういう結末に終わるのか、だろう。そのためにやってきたんだ」

しかし千反田は、意外にも首を横に振った。

背にかかっていた長髪《ちょうはつ》がふわりと揺《ゆ》れる。

「違います。わたし、本当は、映画の結末はどんなでも構わないと思っていました。だから折木さんの案も、とてもよかったと思います」

「じゃあ……」

「わたし、本郷さんという方のことが気になっているんです」

言って、千反田は俺の方をちらりと見た。多分俺は間の抜けた顔をしていただろう。本郷のことが気になるなら、映画の結末が気になると同じことじゃないのか。

そんな俺の考えを察してか、千反田は強く言う。

「今回の一件はどう考えてもおかしいです。本郷さんが神経を病《や》んで倒れたというのは本当でしょうか。……本当かもしれません。でも、そうならなぜ、誰かに頼まなかったのでしょうか。例えば、江波さんに」

首を捻《ひね》る。文意が通らないのはなぜか。

「主語と目的語が抜けてるぞ」

「あ……、すみません。なぜ入須さんは、江波さんなどの本郷さんと親しい人に、用意したトリックはどんなものか訊《き》くように頼まなかったのか、です」

………。

それは、問題の仮定だ。本郷には安静が必要だから、神経を使う脚本《きゃくほん》の仕事から遠ざけたかったのだろう。

しかし俺がそれを口にする前に、千反田は続けた。

「本郷さんは絶対に脚本の見通しを最後まで持っていました。途中で倒れたにしても、結末の部分の核心《かくしん》を、つまりトリックですか、それを訊くことができなかったとは思えません。本郷さんは、トリックを話さなかったんです。

はじめは、本郷さんが病んだ体を押して自分で脚本を仕上げようと頑張《がんば》っているからかなと思いました。でも、話に聞く本郷さんはクラスメートを待たせてでも自分が、という我《が》が強い方ではなさそうです。むしろ脚本家の役を断りきれなかった気の弱さを感じます。

では、結末に自信がなかったのでしょうか。自分の脚本の不出来さが恥ずかしくなって、それで皆さんの前に顔を出せなくなった？　だから誰が来ても、真相を教えなかった？

……これも違います。わたしはミステリーに詳しくありません。でも、プロジェクトの皆さんは明らかにそれ以上にミステリーに不慣れです。それに皆さん、とてもいい方……。本郷さんがどんな案を出しても、出来の悪さを糾弾《きゅうだん》するとは思えませんでした」

彼らが「とてもいい方」かどうかは、意見の分かれるところだろうけれど。

千反田はほとんど自分に聞かせるように、訥々《とつとつ》と先を話す。

「では、何が本郷さんを追い詰《つ》めたのでしょうか。今回の一件、見た目通りじゃありません。

わたしはその違和《いわ》感が、ずっと気になっていたんです」

そして、足を緩《ゆる》めると視線をはっきり俺に向ける。

「折木さんの案が真相なら、本郷さんはそれを入須さんかその使いの方に話したはずです。他の方のご意見が真相だとしても、そうです。

わたしは、志半ばに脚本の完成を放棄《ほうき》しなければならなかった本郷さんの心境を理解したいと思うのです。無念なら無念を、怒《いか》りなら怒りを知りたいんです。……でも、さっきの映像はそれには答えてくれませんでした。わたしがあれを気に入っていないように見えたのなら、きっとそれが理由だと思います」

俺は唸《うな》った。俺や、中城や羽場や沢木口が映像の中から事件の真相を見抜こうとしている間、千反田は本郷自身のことを考えていたのか。

確かに、そうだ。例えば江波は本郷を友人と呼んでいた。トリックだけを知りたいんだったら、本郷に聞く術《すべ》はあっただろう。もし、本郷がそれさえ受け付けないほど重篤《じゅうとく》に神経を病んでいるのだったら……。本郷を親友と呼んだ江波の態度は、暢気《のんき》に過ぎる。千反田が本郷とはどういう人間だったのかを江波に訊いたとき、江波は言葉で言って何がわかると腹をたてていた。それほど大切な友人が重病というのに、あれほど飄々《ひょうひょう》としていられるものか？

俺は、あの映画の脚本を、ただの文章問題と見ていたのではなかったか。舞台設定、登場人物、殺人事件、トリック、探偵《たんてい》、「さて犯人はこの中にいます」……。

そこに、本郷という顔も知らない人間の心境が反映されているということに、俺は気づいてさえいなかったのではないか。

……まったく、大した「探偵役」だ！

心からそう思い、俺は大きな溜息《ためいき》をつく。それを勘違《かんちが》いしたのか、千反田が大慌《おおあわ》てで言った。

「あ、でも、折木さんを責めているわけじゃありません。とっても驚きました、あの解決シーン。あれはきっと本郷さんの考えじゃありませんが、でも、素敵《すてき》な仕上がりになっていると思います」

苦笑《くしょう》するしかなかった。

俺は脚本家を引き受けたんじゃなかったからだ。

その日の夜、俺は自室で少し考えた。ベッドに寝転がり、白い天井を眺《なが》めながら。

どうやら俺は間違った。そのショックはすでに薄《うす》れている。

中城、羽場、沢木口と並んで、俺も見事に失敗したわけだ。つい、笑みが漏《も》れる。何が特別だか。入須もいい加減なことを言ってくれる。自分の慢心《まんしん》が馬鹿馬鹿しい。俺は結局、あの三人と選ぶところがなかったわけだ。

そこまで考えてふと気づく。……俺は、本当に失敗したのか？

もちろん俺の案が本郷の真意を言い当てていないことはもはや明らかだ。しかし、入須から、ひいては二年F組から見ればどうだろうか。彼らのプロジェクト、ビデオ映画制作は、危機的状況から無事完成へと漕《こ》ぎ着けた。その観点から見れば、俺は成功したといえる。ビデオ映画『万人《ばんにん》の死角』は、うるさ型の伊原も納得させるいい作品だ。

もう少し進んで言えば、俺自身が自分の案にどんな評価を下したとしても、それとは一切の関わりなく俺は成功した、とも言えるだろう。つまり、俺にはやっぱり技術があり、俺にしか成し得ないことを成し遂げたということになるのだ。

それなら、あの言葉に意味はあったのだろうか。あの茶店「一二三」で入須がふと漏らした台詞《せりふ》。「誰でも自分を自覚するべきだ」。いかにも世の真理であるかのような顔をして俺に作用したあの言葉に、意味はあるのだろうか？

直後、俺は自分以外の全てを認識できなくなった。その感覚はすぐにひっくり返り、ここに自分だけがいないイメージが膨《ふく》れ上がった。中城案が採用された光景を見た。羽場案が採用された光景を見た。沢木口案が採用された光景を見た。虚《むな》しく、相対的で、心地《ここち》よかった。

しかし幻視《げんし》はすぐに消え失せる。

何かを知り得たと思った瞬間《しゅんかん》、俺はそいつを忘れてしまった。次に頭に浮かんだのは、千反田は満足していない、という事実。俺はごく自然に連想した。……ならばもう少し考えてみよう。それは無駄なことではないはずだ。

だが、何を間違ったのだろうか。入須は、俺が間違ったことを知っているのか？

そして千反田が気になるといったこと。本郷はなぜ真実を話さなかった、あるいは話せなかったのか。言いかえれば入須は、なぜ、江波に頼まなかったのか。

目の前には資料。鞄《かばん》の中に詰め込んで、そのまま忘れていた紙の束。

……しかし、考えはまとまらない。閃《ひらめ》きが、それが幸運に由来するのか才能に由来するのかはわからないが、さっぱり訪《おとず》れない。ベッドのシーツを乱して輾転反側《てんてんはんそく》。大きく体を反らして、部屋を天地逆に見てみたりもする。

本棚《ほんだな》に、妙なものを見つけた。

ベッドから降りて本棚の前に屈《かが》む。この部屋は俺の部屋だが、昔は姉貴の部屋でその荷物が一部残っている。この本棚の一角には姉貴の本が入っている。おかしな本ばかりなので気にしたこともなかったが。

手に取った本の題名は、『神秘のタロット』。姉貴がカバリストとはいまのいままで知らなかった。

外は月夜、電灯の明かりの下《もと》、俺は戯《たわむ》れにページをめくる。見るのはもちろん、「女帝《じょてい》」の項目《こうもく》だ。「女帝」だけでたっぷり十頁《ページ》は使ってあるが、その第一行にはまず、こう書いてあった。

Ⅲ. 女帝（THE EMPRESS）

母性愛、豊穣《ほうじょう》な心、感性を表す。

なんだ、これだけ見ると全然入須に似合っていないな。いろいろ見たが、入須にはタロットの暗示からいけば「隠者《いんじゃ》」がぎりぎりふさわしいと言えないこともないんじゃないか、と俺は思った。もっとも思い出してみれば、入須の「女帝」という渾名《あだな》はもともとタロットを意図したものではない。それをタロットに結びつけたのは里志だ。

そういえばやつは、古典部員のそれぞれにシンボルを設定していた。確か伊原は……。

Ⅷ. 正義（JUSTICE）

平等、正義、公平を表す。

む、あながち間違ってない。里志は「正義は苛烈《かれつ》ってのが相場」と語感優先で伊原に「正義」を割り振《ふ》ったようなことを言っていたが。

気分転換《てんかん》には、これは悪くない。里志が「魔術師《まじゅつし》」、千反田が「愚者《ぐしゃ》」だったな。

Ⅰ. 魔術師（THE MAGICIAN）

状況の開始、独創性、趣味を表す。

番号なし　愚者（THE FOOL）
冒険心《ぼうけんしん》、好奇心、行動への衝動《しょうどう》を表す。

ははあ。なるほど、暗示に沿っているわけだ。俺は笑った。もっともタロットの道は深いようで、「愚者」には「愛の放浪《ほうろう》」なんてのもあったりするし、「魔術師」には「社交性」があったりしてなかなか一概《いちがい》に完全一致《いっち》とは言えないが。で、俺自身は何だったかな。ええと、「力」だ。

XI．力（STRENGTH）
内面の強さ、闘志《とうし》、絆《きずな》を表す。

なんだこれは。
全然一致していない。俺は自分の何をも自覚できていないかもしれないが、しかしこれは明らかに俺向きじゃない。里志だって俺のモットーは知っているはずだ、「やらなくてもいいことなら、やらない。やらなければいけないことなら手短に」。なら、なぜ里志はこれを選んだのか。

そういえばあの時、やつは冗談を言っているようだった。里志の冗談……。なら、なにか筋が通っていないとおかしい。

……俺もよくよく暇《ひま》だったのだろう。あるいは単に、自分の愚《おろ》かな失敗から目を逸《そ》らしたかったのか。しばらく『神秘のタロット』と向き合っていた俺は、突然に里志の冗談を理解した。説明文の一節にこうあるのを見つけたのだ。

「力」は、獰猛《どうもう》なライオンが優しい女性に御《ぎょ》されている（コントロールされている）絵に象《しょう》徴《ちょう》されます。

つまり里志は、俺が女性に御されていると言いたかったらしい。古くは姉貴、近頃《ちかごろ》は千反田、最近は入須、といったところか。

お、おのれ。里志のくせに生意気だ。俺はあいつらにコントロールされているわけじゃない。なにしろ俺はだな。

自分の行状を振り返る。

「力」かもしれない、と思った。

ああ、ともあれ。なかなか興味深いじゃないか。「正義」「魔術師」「愚者」に比べると「力」は、全く考え方が違っている。タロットの暗示から離れて、イラストのイメージで「力」に俺を象徴させるとは、実に里志らしいジョークだ。基準点をずらすわけだ。

いい気晴らしだった。それなりに満足感を得たところで、もう本郷の件は忘れるか。それが省エネというものだ。そう思って俺はベッドに腰掛《こしか》ける。

…………。

……？

立ち上がった。


純粋な偶然《ぐうぜん》だった。

翌日、俺は会いたいと思っていた人物に会うことができた。それも、その時間なら話をするのに都合がいいという時間、つまり放課後にだ。

その人物、言うまでもなく入須冬実は、俺を見つけると笑みを浮かべて話しかけてきた。

「折木君か、その節は世話になった。ビデオは見てくれた？」

俺は固さを隠しきれない表情で答えた。

「いえ、まだです」

「そうか。いいものに仕上がったと思う。君の協力がなければできなかったものだ、是非《ぜひ》見てほしい。……ああ、そうだ。今度の土曜日、撮影《さつえい》の終了を祝ってささやかだが打ち上げをするそうだ。君にも参加する権利はあると思うけど」

首を横に振る。打ち上げには行かない。

俺の態度に妙なものを感じたのだろう、入須は少し眉を動かしたが、口調は変わらない。

「そう。まあ、君の自由ね。では」

そう言って去りかける入須を、俺は呼び止める。

「入須先輩」

振り返った女帝に、言う。

「お話があります」


場所は先日と同じ茶店「一二三」になった。

今日は入須のおごりではない。慎重《しんちょう》にメニューを検討し、雲南茶を頼む。日本茶限定の店かと思ったら、中国茶に紅茶、ちゃんとコーヒーもあるじゃないか。入須は今日も抹茶《まっちゃ》だった。

頼んだものが揃《そろ》うのを待って、入須が先に言った。

「話、とは」

どこから話したものか、迷う。が、自然に出て来た言葉はやはりこれだった。

「先輩。先輩はこの前この店で、俺には技術があると言いましたね。俺は特別だと」

「確かに」

「……なんの技術です」

入須は口元だけで笑った。

「言わせたいの。推理能力という技術よ」

まだ、このひとは、そう言うのか。

俺は怒《いか》りでも憤《いきどお》りでもない、不思議な静かさでその言葉を否定する。

「違うでしょう」

「…………」

「俺は推理小説が得意というわけじゃない。でも、こんな台詞《せりふ》は有名です。『君は探偵《たんてい》じゃなく、推理作家になるべきだな』。奇想天外《きそうてんがい》な推理を開陳《かいちん》された時の、犯人の台詞」

入須は無言で、抹茶を啜《すす》る。外面的な愛想が消え、本来の入須に戻ったことが直感的にわかった。俺はそれでも言葉を重ねた。

「俺は探偵じゃなかった。推理作家だったんじゃないですか」

とん、と湯呑《ゆのみ》を置いて。

入須はいかにもそれが些事《さじ》だと言わんばかりに、無関心な態度で答えた。

「ヒントは何だった」

やはり、そうだったのか。入須冬実、そうであってほしくはないという俺の願いを、そんなに簡単に打ち砕《くだ》くのか。

しかし俺は自分でも驚くほど穏《おだ》やかだ。

「シャーロック・ホームズです」

「……ほう」

「本郷先輩は、シャーロック・ホームズで推理小説を勉強したそうです。千反田がそれに使った文庫本を借りて、ウイスキーボンボンの力でそれを部室に忘れていきました。それを、見ました」

入須は笑った。先程《さきほど》までのとは全く違う、薄《うす》い笑みだった。

「そこから何がわかったと？」

「……まとめてみました」

俺は胸ポケットからノートの切れ端《はし》を取り出す。それは、シャーロック・ホームズの短編集六冊（本当は五冊らしいが、延原訳なので）の中から「冒険」と「事件簿」を選び、その目次に打たれた記号が二重丸の作とバツの作を取り出したものだ。

二重丸
唇《くちびる》の捩《ねじ》れた男
白面の兵士
三人ガリデブ

バツ
花嫁失踪事件《はなよめしっそう》
オレンジの種五つ
まだらの紐《ひも》
花婿失踪事件《はなむこ》
三破風館《はふ》
覆面《ふくめん》の下宿人

入須がそれに目を通すほどの間を置いて。

「俺は最初、これは本郷が使えそうなアイディアとそうでないものを分別した結果だと思いました。が、違っていたようです。里志に言わせれば、『赤髪組合《あかがみ》』と『三人ガリデブ』は同じトリックだそうで、ではなぜ後発の『三人ガリデブ』が二重丸で『赤髪組合』が三角なのか、里志は電話口で訝《いぶか》ってました」

目だけで、入須は先を促《うなが》す。

「俺は里志にそれぞれの内容を訊《き》きました。……入須先輩、シャーロック・ホームズのネタを割られるのは、どんなに些細《ささい》なことでも嫌ですか」

「いや、気にしない」

「そうですか。でももし先輩が嫌だと思ったら、ここからしばらく俺の言うことを訊かないでください。耳をふさいでも目をそらしても、方法はまかせます」

それだけを念のため言い置いておく。

本当に重要なネタを割るつもりはないが。

「まず、二重丸から。

『唇の捩れた男』。これは、消息を絶って生存が絶望視されている男の生存をホームズが確かめる話だそうです。依頼人《いらい》は男の妻です。

『白面の兵士』。これは、親友が隔離《かくり》されているらしいと知った男がその理由の調査をホームズに依頼する話だそうです。最後には隔離の必要がないことがわかり、一同安心で終わるとか。

『三人ガリデブ』は、『赤髪組合』の焼き直しですが、いつも冷静なホームズが撃《う》たれたワトスンを心配し珍《めずら》しく慌《あわ》てるシーンが印象的だそうです。ちなみに怪我《けが》は軽傷」

雲南茶を飲む。味なんか気にしていない。

「バツに行きましょう。こっちは数が多いので、三つに絞《しぼ》ります。

『オレンジの種五つ』は、身内が次々と怪死《かいし》を遂げた青年が身の安全を求めてホームズを頼る話です。しかしホームズは彼の死を防げませんでした。

『まだらの紐』は、これも姉が怪死した女性がホームズを頼るという話です。犯人は明らかなので言いますが、彼女らの父親。目的は彼女らの、まあ簡単に言って遺産です。『三破風館』は、息子が死んだ母親の元に、家を家財ごと売ってくれないかという依頼の来る話です。事件の背後には、女に手ひどく振られて死んだ男の怨念《おんねん》があるそうです」

　そこまで言って、俺は入須の反応を待つ。

　入須は、すっと前髪を脇に寄せた。

「そう、そんなところから」

「この話を聞いて、俺は本郷がどんなものを好むか、ほんの一部でしょうが、わかった気がしました。本郷は推理小説としての出来なんか、眼中になかった。『まだらの紐』にバツをつけて『白面の兵士』にマルをつけるなんて、信じられないと里志は言っていました」

　唾《つば》を飲む。

「俺の解釈《かいしゃく》は、こうです。本郷は、ハッピーエンドを好み、悲劇を嫌ったんじゃないですか。人が死ぬ話は、それだけで嫌いだったんじゃ」

　入須は答えない。

　それは多分、肯定《こうてい》の証《あかし》だ。

「そう考えたとき、いくつか納得のできることがありました。一つは、血糊《ちのり》の少なさ。もう一つは、アンケート結果のおかしさです」

「アンケート結果？」
俺はショルダーバッグから、沢木口に貸してもらったノートを取り出す。話に絡《から》むところだけを開き、指で押さえる。

No.32　死者数をどうするか
・一人……6
・二人……10
・三人……3
・それ以上
　四人……1
　全滅……2
　百人ぐらい……1
・無効票……1
二人を推奨《すいしょう》（ただし採否は本郷に一任）

入須の視線が一瞬だけノートに落ち、そしてこれも一瞬、険《けん》を帯びた。

「……こんなものを手に入れていたの」

「気前よく貸してくれましたよ。で、このアンケートですが。

数字を書き込むだけのアンケートで、『無効票』とは何か。別のアンケートを見れば、白票なら『白票』と書かれるようです。登場人物数を上まわった死者数を書いても、『百人ぐらい』としてカウントされています。なら、無効票とは？」

面白がるように、入須は後を引き取る。

「血糊が少なくて済む死者数。その票は却下《きゃっか》されたようね」

俺は入須を真正面から見る。入須はその視線を平然と受け止める。

低い声で、俺は言った。

結論を。

「本郷の脚本では、い、い、い、死者は出ないはずだった、い、い、い、い、い、い、い」

入須のくちびるが片方だけ、少し上がった、と俺は思った。

「さすがね」

落ち着いたものだ。抹茶《まっちゃ》を悠然《ゆうぜん》と啜《すす》り、入須はいささかの動揺《どうよう》もみせない。どうしてこんなに冷然としていられるのか。俺の心境を読み切っているとでもいうのか。

静かに、入須は湯呑《ゆのみ》を置く。

「そこまでわかっていれば、私の言うことは少ない。本郷の脚本は君の言う通り、死者の出ないものだったわ。あの娘《こ》は、そうした話でなければミステリーを書くことなど思いもよらなかった。そういう娘よ」

俺が続ける。

「ところがクラスメートたちはそんなこととは思いもせずに、アドリブと暴走を繰り返した。そして本郷が実際の撮影《さつえい》に参加していなかったことも、中城から聞いています。それに何より、脚本には海藤が死んだと書かれていません。ひどい傷を負って倒れていて、呼びかけても返事がないとあるだけです。ですが映像では。

あの切り落とされた腕の模型は良かった。伊原が褒《ほ》めるんだから本物だ。

海藤はどこからどう見ても死んでいた。本郷の知らない内に、傷害事件は殺人事件になっていた、ってことですね」

入須は頷《うなず》いた。

俺はしかし満足を覚えない。言葉が荒《あら》くなる。

「ここから先は妄想《もうそう》です。何の証拠もない。ですが先輩、俺は言わずにはおれません。

本郷はクラスメートに、映像が脚本から致命《ちめい》的に外れていることを言えなかった。既に撮《と》られた映像を破棄《はき》するように、小道具班渾身《こんしん》の作品を捨てるようには、本郷は言えなかった。彼女は気弱だったし、何より真面目《まじめ》だった。ミステリーで人が死なないという横紙破りを、本郷自身も後ろめたく思っていたと、俺は思います。

そこで登場があなただ、入須先輩」

無表情、いや、微笑《ほほえ》んでいるようでさえある入須。

俺は激昂《げっこう》まではしていない。少し声が大きいだけだ。

「本郷はそのままでは悪者です。脚本を放り投げたとして、厳しく糾弾《きゅうだん》されたでしょう。だからあなたは、本郷を『病気』にした。脚本を『未完成』にした。そのほうが傷が浅いと見たんだ。あなたはあなたのクラスメートを集め、推理大会を開いた」

そして。

「そして、そうと見せかけ実際はシナリオコンテストを行った。脚本を書けと言われれば誰《だれ》しも尻込《しりご》みする。だから、本郷を大義名分に立てて、あなたは推理をさせたんだ。クラスメートの成績が芳《かんば》しくないと見るや、俺たちも巻き込んだ。誰も、俺も、自分が創作をしているとは気づかなかった。あなたによって恣意《しい》的に、基準点がずらされていたからだ。

俺の創作物は本郷のそれに入れ替《か》わり、本郷は傷つかずに済むという寸法です。違いますか？」

「私はさっきから、違うなどとは言っていない」

「では！」

少しだけ、身を乗り出す。

「俺に技術があると言ったのも、全て本郷のためですか。いい代案が出てくるように」

「…………」

「あなたはこの店で、スポーツクラブの話を例に出して俺を説得しましたね。能力のある人間の無自覚は能力のない人間には辛辣《しんらつ》だ、と。いまなら言えます。ご冗談でしょう、入須先輩。自覚がどうだというんです。辛辣だからどうしたっていうんです。『女帝』の異名を取るあなたが、そんなセンティメンタリストなはずがない。

あなたは、結論だけを見ているはずだ」

里志が自分にはホームジストになる能力がないと言ったとき、俺はそんなことはないと言った。どちらが正しいだろう。どちらにしても、大した意味はない。なればなるし、ならなければならない。それだけのことだ。

熱意も、自信も、独善も、才能でさえも客観的には意味を失う。入須は俺を踊《おど》らせるためだけに俺の才能を持ち上げた。それは有効だった。俺は入須を満足させる創作をした。

「誰でも自分を自覚すべきだといったあの言葉も、嘘《うそ》ですか！」

……これほど強く言っても、入須は動じない。悪びれない。恥《は》じない。

沈黙《ちんもく》の中に、俺は下らないことを思う。

「女帝」という渾名《あだな》は、実にふさわしい。俺は里志の言葉を思い出す。入須に近づく者はみなその手駒《てごま》になる。ひとをそう扱《あつか》って悔《く》いない姿勢こそ、女帝にはふさわしい。彼女は美しかった。

抑揚《よくよう》も情感も乏《とぼ》しく、いよいよ冷厳に、入須は答える。

「心からの言葉ではない。それを嘘と呼ぶのは、君の自由よ」

視線が絡《から》み合う。

無言。

……俺は、自分が笑うのを知った。

そして心からこう言うのだ。

「それを聞いて、安心しました」

八　エンドロール

ログナンバー00299

まゆこ：ほんとうに、ありがとうございました
名前を入れてください：もういい
名前を入れてください：お前、さっきからそればかりだ
まゆこ：でも
まゆこ：ありがとう
まゆこ：わたしがぜんぶわるいのに
まゆこ：みんな、ひとごろしのシーンを楽しみにしてたのに
まゆこ：あんな脚本にするから
名前を入れてください：次に「ごめんなさい」と言うな
名前を入れてください：礼なら学校でも聞いた。もういらない

まゆこ：ごめんなさい
まゆこ：あっ
名前を入れてください：全て、もう済んだことだ
名前を入れてください：お前の望むビデオ映画にはならなかっただろうが
名前を入れてください：完成しただけでも大したものだ
まゆこ：そんなことないです
名前を入れてください：どの発言に対して言っているんだ
まゆこ：あ、わたしの望むえいがに、ってところです
まゆこ：わたしだって、いちばんの望みは
まゆこ：みんなで、できたってばんざいすることでしたから
名前を入れてください：全く、お前って奴は本当に、
まゆこ：はい
名前を入れてください：いや、何でもない

ログナンバー00313

あ・た・し♪：上手くいったみたいねー。
名前を入れてください：先輩のおかげです
あ・た・し♪：いえいえどういたしまして。お安い御用。
名前を入れてください：ただ、彼には
あ・た・し♪：申し訳ないことをしたな、と
名前を入れてください：本当にそう思ってる？
あ・た・し♪：本当に？
名前を入れてください：あいつに、申し訳ないって。
あ・た・し♪：地球の反対側の人に
名前を入れてください：虚勢《きょせい》を張っても仕方ないでしょう
あ・た・し♪：あはは、そりゃそーだ。
名前を入れてください：でもさ。
あ・た・し♪：はい
名前を入れてください：あんた、あたしにも嘘《うそ》ついたでしょ。
あ・た・し♪：おーい、そこで黙らない！
名前を入れてください：嘘、ですか
あ・た・し♪：そう。地球の反対側の人まで、使っちゃ駄目だよ。

あ・た・し♪：特にあたしはね。

あ・た・し♪：なーんちゃって。

名前を入れてください：嘘なんて

あ・た・し♪：脚本のコを守りたいから、あたしに手伝いを頼んだんじゃないでしょう？

あ・た・し♪：つまるところ、脚本の出来が問題だったんでしょう？

あ・た・し♪：ウケないこと請《う》け合いの話を却下《きゃっか》するのに、

あ・た・し♪：その脚本のコを傷つけないために。

あ・た・し♪：ちょっとおためごかしをやってみたんじゃないの？

あ・た・し♪：あのバカはそれに気づかなかったみたいだけど。

名前を入れてください：先輩

名前を入れてください：私は、あのプロジェクトを失敗させるわけにはいかない立場でした

名前を入れてください：先輩？

《あ・た・し♪さんがログアウトしました》

ログナンバー00314

ほうたる：これでいいのか
L：はい、大丈夫ですよ
ほうたる：変わったハンドルネームですね
ほうたる：「ほうたろう」を打ち間違えた。直すのが面倒だったからこのまま
ほうたる：しかしどうもおかしい
ほうたる：最終アクセス時刻がついさっきになってるぞ
L：え？
L：折木さん、ここを使うのは今日が創めてですよね？
L：初めて、です
ほうたる：そうなんだが
ほうたる：まあ、いいか
L：それで、けっきょく本郷さんの考えていたきゃくほんはどんなものだったんですか
ほうたる：ああ。打ち込むのは面倒だな
L：おれきさん？
ほうたる：いや、やるよ
ほうたる：教えてくれないから想像でしかないんだが
ほうたる：海藤が死んでいないとすれば、密室は解ける

L：カメラマンを役者あつかいにしなくても、ですか
ほうたる：お前も結構意地が悪いな。まず犯人は鴻巣。進入経路は窓
L：え、でも窓は
ほうたる：右側控室《ひかえしつ》の窓だ。二つあるが、どっちでもいい
ほうたる：鴻巣はザイルを伝って右側控室に侵入《しんにゅう》する
ほうたる：そして、海藤を追って刺す
ほうたる：死なない程度の一撃だ
ほうたる：それからザイルを伝ってまた二階に戻る
ほうたる：何食わぬ顔で玄関ロビーに下りてくる
ほうたる：以上だ
ほうたる：羽場は惜《お》しいところまで来ていたわけだ
L：本郷さんが探していた、七人目は……？
ほうたる：ああ。それなら、未完成の状態でもう出てたよ
ほうたる：後になって気づいたんだが、あの映画には七人出てた
L：え？　いいえ、間違いなく六人でしたよ
ほうたる：キャストは役者だけとは限らない
ほうたる：ナレーターがいただろう。登場人物紹介とかをやってた

ほうたる：エンドロールでも、キャストはちゃんと七人になってるはずだ
Ｌ：ああ、なるほどです！
Ｌ：でもそれでは、海藤さんのたおれていた部屋に
Ｌ：かぎのかかっていた理由はわかりません
ほうたる：海藤は自分から上手《かみて》袖《そで》に入り、鍵をかけた
Ｌ：なぜ？
ほうたる：犯人の追撃を避《さ》けるため、というのが普通だが……
ほうたる：多分、違う
Ｌ：あ。わかりました
ほうたる：ほう。珍しいな
Ｌ：だって、本郷さんのお気持ちが、少しだけわかるような気がしましたから
Ｌ：海藤さんは鴻巣さんに刺されたあとで、
Ｌ：鴻巣さんと話したんです
Ｌ：どうして自分を刺したのか
Ｌ：ひょっとしたら、どうしてひと思いにさつがいしなかったのかも
Ｌ：そして、海藤さんは鴻巣さんをかばうため、

L：鴻巣さんを二階に帰し、自分は上手袖へ
L：あれ、でもそれだと怪我《けが》の説明が
ほうたる：俺の考えと同じだな
ほうたる：怪我のことは簡単だ。あの部屋はガラスが産卵していた
L：ふしぎなガラスですね
ほうたる：「散乱」だ。お前は伊原か
ほうたる：怪我はそこで転んだせいと言い訳できたろうさ
ほうたる：なぜ、鴻巣が海藤を刺したのか。海藤は鴻巣を許したのか
ほうたる：そこまではわからん。本郷が口を割るまでは、謎のままだろう
L：それは、しかたないですね
L：とても気になりますが
L：クラスメートを刺すわけ、自分を刺したクラスメートを逃がすわけ
L：それを本郷さんはどう描《えが》こうとしたのか
L：とても、気になりますが
ほうたる：ところで、知りたいことがある

L：はい。なんでしょう
ほうたる：俺の気のせいかもしれないが
ほうたる：今回の一件、お前は何か知っていたんじゃないか
L：え？
L：わたし、何も知りませんでした
L：どうしてそんなことを？
ほうたる：二年F組の三人に俺を加えた四人
ほうたる：お前は全員の説に納得していなかった
ほうたる：いつもの、お前らしくない。本郷への共感だけが理由なのか
L：ああ、なるほどです
L：ええとですね。わたしと本郷さんが、似ていたからだと思います
ほうたる：？
L：あ、なんだかちょっぴり、恥ずかしいですね
L：笑わないでくださいよ
L：実はわたしも
L：ひとの亡くなるお話は、嫌《きら》いなんです

あとがき

こんにちは。米澤穂信です。三十二の不思議な力のため長い挨拶《あいさつ》ができませんので手短に。

前作『氷菓《ひょうか》』に比べると、本作はいろいろな意味でミステリーを扱《あつか》っています。また、本作の一部は実際に発生したごく個人的な事件に基づいていますが、登場人物に特定のモデルはありません。あのときのスタッフ諸氏の不興を買ってもつまりませんので念のため。

ミステリー好きの読者の皆様《みなさま》へ。お分かりかもしれませんが、本作はバークリー『毒入りチョコレート事件』への愛情と敬意をもって書かれました。クリスティは実は無関係です。かの傑作《けっさく》を相手にどこまで本歌取りがなったものか、それは皆様の判断に任せます。また、毒チョコ風味＋映像には我孫子武丸氏の『探偵映画《たんていえいが》』という先例があります。未読の方は是非《ぜひ》どうぞ。

さて、本作の各章題は特に深遠な意図あって付けられたものではありません。が、五章だけは少し変わった付け方をしてみました。しかし真に驚《おどろ》くべきその方法を書くにはこの余白は狭《せま》すぎるようです。例の『寿司《すし》』事件とまとめてまた後日。どうか後日がありますように。

それでは、今後ともよろしくお願いします。

米澤穂信

本書は二〇〇二年八月、角川スニーカー文庫〈スニーカー・ミステリ倶楽部〉より刊行された。

愚者《ぐしゃ》のエンドロール

米澤穂信《よねざわほのぶ》

角川文庫 12557

平成十四年八月一日 初版発行
平成二十五年七月二十日 四十版発行

発行者―井上伸一郎
発行所―株式会社角川書店
東京都千代田区富士見二―十三―三
電話・編集（〇三）三二三八―八五五五
〒一〇二―八〇七八

発売元―株式会社KADOKAWA
東京都千代田区富士見二―十三―三
電話・営業（〇三）三二三八―八五二一
〒一〇二―八一七七
http://www.kadokawa.co.jp

印刷所―旭印刷 製本所―本間製本
装幀者―杉浦康平

よ 23-2 ISBN978-4-04-427102-2 C0193